★影响世界的人★

米开朗基罗

Michelangelo

★康逸蓝 著　黄亦平 绘

译林出版社

图书在版编目(CIP)数据

米开朗基罗 / 康逸蓝著. —南京：译林出版社，2013.10
（影响世界的人）
ISBN 978-7-5447-4264-1

Ⅰ. ①米… Ⅱ. ①康… Ⅲ. ①米开朗基罗，B. (1475~1564)-传记-少儿读物 Ⅳ. ①K835.465.72-49

中国版本图书馆CIP数据核字（2013）第192836号

本书中文简体字版由联经出版事业公司授权出版，
原著作名《影响世界的人：米开朗基罗》。
著作权合同登记号 图字：10-2013-38号

书　　名	米开朗基罗
作　　者	康逸蓝
责任编辑	宋　旸
原文出版	联经出版事业公司
出版发行	凤凰出版传媒股份有限公司 译林出版社
出版社地址	南京市湖南路1号A楼，邮编：210009
电子邮箱	yilin@yilin.com
出版社网址	http://www.yilin.com
经　　销	凤凰出版传媒股份有限公司
印　　刷	江苏凤凰盐城印刷有限公司
开　　本	889毫米×635毫米 1/16
印　　张	11.25
插　　页	4
字　　数	99千
版　　次	2013年10月第1版 2013年10月第1次印刷
书　　号	ISBN 978-7-5447-4264-1
定　　价	25.00元

译林版图书若有印装错误可向出版社调换
（电话：025-83658316）

导读

读书会带领人讲师、
台北县家长联合会副理事长
严家琳

作者为了写《米开朗基罗》，涉猎许多文艺复兴时期的背景资料，包括各个时期的政治、文学、艺术等方面。她读着读着，读出许多兴味。我们随着作者的生花妙笔，不知不觉也进入了米开朗基罗的世界，仿佛走过一位伟大艺术家颠沛流离、坎坷曲折的一生。

米开朗基罗童年时在奶娘家接触到石头，小小的人儿可以自由地拿着小榔头，开心地敲敲打打，从此与雕刻结下不解之缘。但是当镇长且有贵族血统的父亲，怎么可能让他像个粗鄙的乡下人一样，灰头土脸地敲石头？于是在他四岁时特地接他回家，希望将他教养成高尚的小绅士，但是精力充沛、喜欢到处涂鸦的小米开罗被大家看成野孩子。他六岁时母亲去世，之后进入小学，犹如关进小铁笼，开始了苦闷的学校生活。身旁的人不能互相了解，不能一起快乐地做同一件事，让他倍感孤单。

童年的记忆加上天赋，终究让米开朗基罗走上一辈子不悔的艺术之路。由于吉兰达约的启蒙，洛伦佐、白托多慧眼识天才，栽培他到柏拉图学院里当“小”学生，使他学会了绘画与雕刻；波里奇亚诺更让他了解：想要成为伟大的艺术家，让作品有更感人的内涵，必须先成为诗人。在大量地朗读诗歌后，他不但爱上诗的韵律感，同时也喜欢写诗，这成为他日后抒发情感的最好渠道。

米开朗基罗的酒神雕像《巴克斯》表现了“醉”与“美”，《圣殇》则展现了“悲”与“美”；他在人体解剖学上下的工夫，充分运用到《大卫》上，更使他成为不朽的巨人。他常表示石头本身已经具有作品的胚胎，他的工作只是把石头唤醒，也就是把多余的部分去掉。事实上若没有艺术的灵魂，怎么可能看到作品原本该有的形象?

当脾气暴烈、相貌黑瘦的米开朗基罗，第一次碰到风采迷人、衣冠楚楚、谈吐含蓄、举止优雅、雍容大度的达·芬奇时，并没有爆出友情的火花，而是出现了短兵相接的火爆场面。一场难得的壁画世纪大对决，虽然让两位大师暗中赞赏对方的作品，但亦矜持得放不下身段，始终无法成为朋友。日后达·芬奇的逝世，让米开朗基罗十分震惊，虽然话不投机，在雕刻和绘画的观念上针锋相对，但他们都是佛罗伦萨人，同样具有很高的艺术才华，也都被历任教皇所奴役，不能自由自在地创作，还常在异乡漂泊。这种种类似的境遇，让米开朗基罗可以体会达·芬奇晚年虽过得安逸，但恐怕在心灵上也像他一样孤独。

教皇交付在西斯廷教堂天花板的拱顶壁画任务,让米开朗基罗吃了四年的苦头,因为他觉得自己经验不足,且绘画非他的专长,而当时正处于政治动荡的时代,团队助手群来来去去,教皇拖欠薪水,父亲有诉讼案缠身,二弟不争气,加上健康等种种问题接踵而至。但是他全心投入,忽视个人卫生,废寝忘食,用顽强的意志力完成了一项“不可能的任务”,终于为世人留下珍贵的艺术遗产。工作结束后的米开朗基罗是身体佝偻、头发粗糙、眼神涣散且身心俱疲。这幅他认为会让他羞惭的“创世记”壁画,竟然和他喜爱的雕刻一样名垂千古。这件事不禁让人思索:即使是天才,有时是否也需要强大的压力刺激,才会激发出无穷的潜力?正如同钻石因承受巨大压力,才得以形成璀璨的光芒。

当年十三岁的米开朗基罗想走艺术之路,被家人严厉斥责,认为这种低贱的工作有辱贵族家世的门风。没想到十几年后,一家人的生计全落在米开朗基罗的身上。为了养家,他必须面对历任喜怒无常的教皇、大主教们。脾气不好的米开朗基罗,居然学会忍受“身不由己”的待遇。他常觉得自己跟奴隶没有两样,既痛苦又煎熬。

人在肉体上备受折磨,若没有精神力量的支持,是很容易崩溃的。在寂寞的一生里,米开朗基罗总算也有两位重要的朋友:年轻的罗马贵族托马斯·卡瓦瑞利与贵族女诗人维多利亚·科隆纳。他和两位知音间柏拉图式灵性的恋爱、在精神上的相互扶持,带给他温暖与快乐。

艺术这条路米开朗基罗走得很辛苦，上有当权者的威迫，下有理念不合的艺术家互相看不顺眼，甚至因利害冲突而攻击他。此外还有一大家族的经济负担。但是对艺术的狂热、执着与投入所产生的意志力，促使他忘掉现实的残酷，克服所有困难，而坚定的信仰是他创作最大的支撑力，也因此才能留下不朽的作品。直到去世前几天，他仍不肯放下榔头和凿子，因为只有“当当” 如打击乐般的声音，才是他这一生的最爱。

在青年战士《大卫》雕像、西斯廷教堂天花板的《创世记》壁画、《最后的审判》壁画，以及圣彼得大教堂的圆穹顶壁画中，我们隐约仍可看到米开朗基罗佝偻的身影，仍可听到不绝于耳的“当当” 声；而三百多首诗，亦娓娓地诉说着他一生的悲欢岁月，令人唏嘘，也令人景仰。

目录 CONTENTS

序曲

如果艺术是一条长长的大河，那么古今中外的艺术家，就像是一条条的支流，不断为这条艺术长河注入活水，汇聚成更壮阔的泱泱大河。这条艺术长河闪着粼粼波光，增添文化的光彩，也滋养人类的心灵。

自公元410年起，罗马被日耳曼的一支蛮族入侵后，一直到1453年，大约一千年的时间，历史上称为中世纪。这期间，欧洲文物遭到极大浩劫，文化艺术的生命几乎断绝，因此历史学家也称这段时期为“黑暗时期”。黑暗时期当中，欧洲地区常发生战争、瘟疫、饥荒等，人民生活没有保障，只有把希望寄托在宗教信仰中。但是这个时期的宗教，却一直强调末世审判以及死后的世界，活着的人生一直被压抑着，完全不鼓励现世生活的欢乐。

在14世纪时，学者就体认到文化艺术衰退了几乎一千年，他们开始怀念古代（公元前400年至公元400年）希腊、罗马的艺术与文学，因此开始钻研古典时代的文学、建筑和雕刻。

15世纪初期，文艺复兴运动[1]在意大利兴起，通过古典文艺的再发现，把那些被否认掉，却真实存在的人性与生命的本质复燃起来。后来这个运动遍及全欧洲，文艺复兴的影响深入了生活的每一层面。

文艺复兴时期是艺术长河中，一段非常瑰丽的风景，因为文艺复兴运动从意大利传播出去后，将欧洲由黑暗的中世纪带往现代，这段时期内天才辈出，创作了大量的杰作，直到今日依然发出灿烂夺目的光芒。

我们这本书的主角米开朗基罗，是15至16世纪意大利文艺复兴时期的艺术天才，他和达·芬奇[2]、拉斐尔[3]，被称为"文艺复兴三巨

1 文艺复兴（Renaissance）一词，原来是"重生、再生"之意，后代学者们之所以采用这个词来称呼这个时代，是因为欧洲国家在这段时间里经由各种语言的史料，辗转重新发现了古希腊文明的遗产，从而刺激欧洲人文与科学精神的萌芽。

2 莱昂纳多·达·芬奇（Leonardo da Vinci, 1452—1519）是意大利文艺复兴时期最负盛名的艺术大师。他不但是个大画家，同时还是一位未来学家、建筑师、数学家、音乐家、发明家、解剖学家、雕塑家、物理学家和机械工程师。

达·芬奇成名很早，各皇室和教廷都争相邀请他作画、塑像，使他成为一名宫廷画家；但是近代之所以崇拜达·芬奇，却是因为他那几乎不容于当世的科学发现和丰富的想象力，而他是在成为宫廷画家之后才逐渐转移兴趣到科学上的。有趣的是，他在发现此一新领域之后便不愿多花时间在艺术上。

3 拉斐尔（Raphael,1483—1520）生于意大利的乌尔比诺，父亲是宫廷的二级画师，他从小随父亲学画。从二十二岁到二十五岁创作了大量圣母像，从此声名大噪，成为16世纪文艺复兴初期的杰出画家及建筑师。二十五岁为梵蒂冈绘制大

匠”，他们处在文艺复兴发展到最巅峰的时刻，善用已发展出来高超的形式技法，表达他们对人生的理解，这正是他们之所以伟大的原因。有史学家说：“如果把达·芬奇的艺术比作‘不可知的海底深处’，米开朗基罗的作品就是‘高山崇峻的峰顶’，拉斐尔的画则是‘广阔开展的平原’。”这就是他们三位画风的特色。

米开朗基罗从十三岁开始进入艺术的世界，一直到八十九岁去世，他把大部分的时间、精力都奉献给艺术，成为伟大的雕刻家、画家、建筑家，留下许多不朽的作品，例如：一座4.1米高的青年战士《大卫》雕像，画在西斯廷教堂天花板的大型壁画《创世记》，西斯廷教堂的壁画《最后的审判》，以及圣彼得大教堂的圆穹顶等建筑。此外，他还是个出色的诗人，一生写了三百多首诗，有牧歌、抒情诗和十四行诗，他的诗具有鲜明的个人风格，抒发了他爱国的情操和艺术创作的观点。

这本传记将邀你穿梭时空，回到15至16世纪的意大利，跟着这位伟大的艺术家来一趟艺术生命之旅。

厅壁画，其中著名的作品《雅典学派》揭露了“启示的真理”与“理性探求真理”的意义。他歌颂人类的智慧，笃信人类智慧和谐才是推动世界前进的原动力。如果要用几个字来形容拉斐尔，那就是和谐、圆融、愉快、优美、温和。不仅画风如此，待人也是如此。

童年时的敲打乐

“当当锵锵”，石匠托马佐正在处理他从采石场载回来的石头，这“当当锵锵”规律的声音，像敲打乐一样，在静静的下午，陪伴“小米开朗基罗”进入梦乡，也陪着他从梦乡醒来。他在小床里睁开眼睛四处张望，奶娘芭芭拉不在，但是熟悉的锵锵声，让他急着想要出去玩耍。他大力发出咿咿呀呀声（经验告诉他，声音大才能压过榔头敲打石头的声音），托马佐听到了，赶紧跑进屋里，一把抱起了他。

米开朗基罗的小手已经指向外面。“我知道，小伙子，你要帮我敲石头。来，我们先找到你的小榔头。”托马佐在门坎边找到小榔头，把两岁的米开朗基罗抱到屋外，让他坐在石堆里，拿着小榔头有模有样地敲打。

托马佐斜着身体在门廊下倚着，他若有所思地看着小米开罗（这是他们对米开朗基罗的昵称），眉头不禁皱起来。因为前几天米开朗基罗的父亲派人送信来，有意要把这小伙子给接回去。米开朗基罗

很得托马佐的欢心,他浑身充满精力,那双滴溜溜的眼睛更散发出一股好奇的热情,尤其是对石头的热情。

“托马佐,你怎么又让小米开罗玩石头,看他满身满脸的灰。”芭芭拉抱着朱里奥回来,放下朱里奥,一边抱怨地说着,一边跑去把米开朗基罗抱起来,对他说:“小米开罗,奶娘帮你洗干净,弄些蛋糕给你吃。你爸爸随时会叫人来把你带走,我们要还给他们一个小绅士。”被抱走的米开朗基罗很不高兴,扭动着身体挣扎,可是奶娘力气好大,强带着他去洗手洗脸,还换上干净的衣服。

没错,“小绅士”应该是米开朗基罗要有的样子!现在让我们来回顾一下这个灰头土脸的小孩子,是在什么情况下来到这世界的。1475年3月6日,波纳罗蒂家的人,紧张又期待地等候家里的第二个孩子出生。由于产妇的身体不好,让这段等待的时间显得特别漫长。突然,石破天惊“哇——”的一声,舒缓了大家紧张的情绪,当接生婆出来宣告母子平安时,大家心上的石头才真正放下来,接着就以欢欣鼓舞的心情迎接这个小壮丁的来临。当时这个家的大儿子李奥纳多两岁,父亲洛多维科·波纳罗蒂很高兴地为新生儿取名为“米开朗基罗·迪·洛多维科·波纳罗蒂”,一般人都叫他米开朗基罗,小时候被昵称为小米开罗。

在米开朗基罗出生时,他的父亲是卡普雷斯镇的镇长,这个地区由大城市佛罗伦萨管辖,两地相距约四十英里。这正是个春暖花开的时节,大地处处开着红的、紫的、白的、黄的等说不完、看不腻的花，真是一片欣欣向荣的景象。

不幸的是，米开朗基罗的母亲身体一直很虚弱，奶水不足。他们家的老女仆乌苏拉，建议他们把米开朗基罗送去给她的弟媳妇莫娜·芭芭拉养。芭芭拉身体健康，个性热情，很喜欢小孩，她自己有一个婴儿，奶水非常充足，够养两个孩子。她的丈夫托马佐是一个石匠，他们家就住在离佛罗伦萨三英里的塞诺亚斯山附近，于是米开朗基罗就到芭芭拉的家来了。

其实芭芭拉不愿意让小米开罗走，奈何她只是个奶娘！从乌苏拉口中，她知道波纳罗蒂家族很以贵族血统自豪，也希望孩子们将来都能跟祖先一样有高尚的地位，做上流社会的人。记得镇长把小米开罗交给他们的时候，抬头望向山顶，看到一只苍鹰在天空翱翔，他满心欢喜地说："在这样辽阔的地方，你们最好把小米开罗养成斯巴达人一样，像个'狼崽子'！"当然他所谓的"狼崽子"，可不是粗鄙的乡下人，而是智勇双全的人。

就在不久前，洛多维科看夫人身体稍微好一些，带着她和老大李奥纳多来看小米开罗。马车停在院子，他们下车后，只看见芭芭拉在草地上晾衣服，而李奥纳多发现石头堆里两个灰头土脸的小男孩。芭芭拉急忙跑去抱起其中一个小孩，一边拍掉他身上的石粉，一边和洛多维科夫妇打招呼，表情很尴尬。

喝茶聊天之后，洛多维科他们乘上马车要回佛罗伦萨，一路上，洛多维科夫人难过地说："小米开罗一点都不像波纳罗蒂家的孩子！"

洛多维科因此下了个决定说："我们尽早把他接回家吧，不过我怕你太累，两个精力充沛的小男孩可会吵吵闹闹。"

夫人还是决定把小米开罗接回家，可是才派人送信去不久，她发现自己又怀孕了，这事只好暂时搁下。托马佐夫妻每天都以为小米开罗要离开他们了，忽然接到暂时不能把小米开罗接回家的消息，高兴地带他们到山上野餐，准备好好庆祝一番。

小米开罗和朱里奥喜欢跟着邻居的大孩子到处跑，原本他们只是小跟班，渐渐长大后，可以跟到比较远的乡野。在野地里，他们可以玩的花样很多，像攀爬坡度不大的小岩壁，采酸酸甜甜的小浆果吃，玩躲猫猫、战城堡的游戏等等。大一点的孩子喜欢爬到树上，从鸟窝里掏出小鸟，然后带回家养起来。总之，对孩子而言，乡野是一座大宝山，有寻不完的宝藏。

平常在家时，他们会就地取材，把大人敲下来的小石块磨成小圆球，把小圆球堆栈起来围成圆圈，再用石头去打散，看谁打得多，谁就赢了；或者把小石块雕刻成简单的玩具，用来玩各种游戏。

米开朗基罗认定这里就是他的家，可是，大约在他四岁的时候，洛多维科决定接他回家，那时候，家里多了一个弟弟。回到家里的小米开罗，好像一只原本可以自由飞翔的小鸟被关进笼子里，很不能适应。他们家族生活在大宅邸里，日常生活里有许多规矩要遵守，老大李奥纳多的行为循规蹈矩，像个小绅士，很合乎传统的要求。小米开罗却刚好相反，他在家里横冲直撞，家中贵重的摆饰，在他眼中都成了玩具，他用条绳子拴着就拉着到处跑，常把佣人吓出一身冷汗。他像是有无限的精力，攀上爬下，大声吼叫，不然就是拿起笔到处涂鸦，被大家看成野孩子。

每当他被责骂的时候，就特别怀念奶娘他们。托马佐不但让他跟在身边敲敲打打，还会用推车载着他和朱里奥到山上的采石场去玩，那里的石头又多又大，他们可以趴在上面玩耍。有时候他们在山上野餐，芭芭拉做了各种糕点，把它们摆在大石头上，他们坐在小石头上，一边吃东西，一边听芭芭拉讲故事，好快乐啊！

小米开罗觉得妈妈很温柔，可是她老是要躺在床上，不久之后，她又生下一个弟弟。父亲常叫小米开罗和哥哥到面前，跟他们说将来要如何如何，哥哥总是点头，小米开罗则是愣愣地看着父亲——一个让他感觉很陌生的父亲。其实洛多维科早就看出小米开罗聪明又富有冒险精神，认为如果好好栽培他，他的成就会比哥哥好，可是他的个性像骡子一样固执，恐怕不会太顺从。

小米开罗六岁多的时候，波纳罗蒂夫人要生第五个孩子，不幸的是，她的身体实在太虚弱了，生完就蒙上帝宠召，来不及看自己的孩子成长。她离开世间的那一天，家里的气氛很沉重，每个人都挂着悲伤的面容。乌苏拉赶紧把小孩找来，要替他们穿上整齐的深色衣服，可是唯独看不到小米开罗。她到小米开罗常去玩耍的花园墙角找，小米开罗全身乌黑，正用木炭在墙上作画，画些芭芭拉说的故事里的人物，当然那些造型都是他自己想象出来的。另外，墙边还有几个他

用泥巴捏出来的小玩偶,大概也是故事里的角色。

乌苏拉一把抱起他,嘴里喃喃地说道:“上帝啊,这孩子不懂母亲已经离开了,还把自己弄成这副德行!”

丧礼庄严而盛大,气氛相当哀凄,但对于波纳罗蒂家的孩子来说,除了老大李奥纳多稍微懂事外,其他四个都还小。六岁的米开朗基罗有四年的时光,几乎都在奶娘家度过,回到这个家才两年,又常因为闯祸被责骂,对母亲的印象,大概就是一个年轻、温柔、虚弱的形象。他不懂得伤心,只是当他看到教堂里圣母玛利亚的形象,认为那就是母亲的形象,他心目中的母亲,永远年轻、温柔。

波纳罗蒂夫人去世后,家里显得很冷清,这让米开朗基罗更怀念在奶娘家的日子,怀念托马佐敲凿石头的影像,怀念芭芭拉叫他“小米开罗”的声音,怀念和朱里奥在山野玩耍的快乐。他老是一个人躲在花园的角落玩泥土、涂鸦,只有那里让他感觉自己跟奶娘他们很接近,而他的耳中总是响着“当当锵锵”的声音,那些声音仿佛是他生命的一部分,要跟着他一辈子。

苦闷的学校生活

家里孩子多，管教起来很花精力，洛多维科一个人实在应付不来，于是他再娶了一个太太，来帮他管理家里的事。新的波纳罗蒂夫人没有原来的夫人美丽，但个性温柔顺从，嫁进来后，很快就帮着照顾五个小孩。

不久，洛多维科带着家人搬到一个叫作班塔柯地的地方去，由于孩子多，他们把米开朗基罗再送到奶娘芭芭拉家去住。这对米开朗基罗算是一种解脱，他又可以和小时候的玩伴一起到处去探险，可以跟着托马佐在石头上敲敲打打。他每敲打出一件作品，都会得到很多的赞美，让他更乐于拿起榔头和凿子，煞有介事地敲凿。

这个时期的米开朗基罗，更像是山里的狼崽子，黑黑壮壮的身体奔跑在宽广的乡野。可惜好景不长，不久，洛多维科率领全家迁回佛罗伦萨，把米开朗基罗也带了回去。李奥纳多马上被送到学校读书，那所学校的管理非常严格，学生还要学习拉丁文。拉丁文是一种古老的文字，学起来很难。

米开朗基罗仍然喜欢涂鸦、玩泥巴、敲打石头，很不像波纳罗蒂家的孩子。有一天，他的父亲请油漆匠来家里粉刷，米开朗基罗看他们调好颜色，很熟练地用刷子把油漆涂到墙壁上，匀称又美丽，使家里焕然一新。他觉得很神奇，趁工人不注意的时候，拿起刷子，学他们在墙上刷，刷得不过瘾，干脆把自己当墙壁，往身上刷上刷下，刷成个油漆人。不巧被他父亲看见了，大声喝斥他，还叫仆人赶紧把他带去洗干净。洛多维科觉得很头痛，记得他夫人生前曾经对他说："你看小米开罗的眼神，常常透露出一种专注的光芒，他一定会有所成就，为我们波纳罗蒂家族带来光荣。"的确，洛多维科在米开朗基罗身上看到其他兄弟所没有的特质，那就是专注和坚持，他决定立刻送米开朗基罗到学校去接受教育。

米开朗基罗进小学读书了，但是他非常不适应。从奶娘家回自己的家，米开朗基罗像一只自由自在的鸟，被关进大铁笼里；上了学的米开朗基罗，好像被关进小铁笼，严格的校规、繁重的功课，都像是森严的铁丝网，让他不能自由伸展。他的父亲恨铁不成钢，把他交到严格的弗朗西斯科先生手上，还特别交代要"多加管教"！

每天到了上学时间，米开朗基罗都故意拖拖拉拉，非要继母和乌苏拉连哄带劝，才心不甘情不愿地出门。一路上米开朗基罗总是走走停停，那个市区广场是他最喜欢逗留的地方，广场上有些雕像他百看不厌，还有教堂墙上的雕饰，他也常专心地抚摸、细看。

有一天，他把书包往阶梯上一搁，又眯起眼看着那尊白色大理石雕的圣母玛利亚，不知道是不是阳光的关系，圣母玛利亚的眼中放出慈祥的光芒，让他感觉到一股温馨。正当他陶醉在那个温馨的笑容里时，突然一个老老的声音在耳边响起："小朋友，上学的时间都过了，你不怕迟到吗?"老人是教堂的看门人，他注意到这个孩子喜欢来教堂磨蹭，他更注意到孩子手脚青一块、紫一块，表示他在学校常受到鞭打。老人把书包递给他，他低着头接过书包，害怕地向学校跑去。

这一天一早就是弗朗西斯科先生的拉丁文课，他严格地要求学生们，要把拉丁文那些难懂难记的东西背下来，米开朗基罗不但没有去复习，上课还迟到。当米开朗基罗进教室时，全班正在读诵课文，弗朗西斯科先生看到他，铁青着脸叫大家停止，提出问题要他回答，他是一问三不知。弗朗西斯科先生把他书包翻开，拿出他们练习用的小石板，不看还好，看了更是火冒三丈，小石板上画了一只红脸的雄火鸡，再仔细一看，那只火鸡像恶魔，手上扬着一根教鞭，弗朗西斯科先生终于了解，扬着教鞭一脸凶恶的火鸡就是他自己!

原来前一天上课时，米开朗基罗太无聊了，瞪着口沫横飞的弗朗西斯科先生，想想他平常处罚学生的模样，脑中升起一个火鸡的形象，偷偷画下来。他给几个比较要好的同学看，看过的同学此时都憋住气，唯恐不小心笑出来，而那些没看过的，都伸长脖子想看看米开朗基罗把弗朗西斯科先生画成什么模样。弗朗西斯科先生叫米开朗基罗跪下，教鞭无情地打下来，米开朗基罗默默地承受着，他知道自己做错事该受罚。不过，弗朗西斯科先生还不放过他，说放学后要去跟他父亲告状。

洛多维科听了老师的告状，叫米开朗基罗跪下，教训他说："米开罗，你平常喜欢乱画墙壁，上学又老是迟到，拉丁文也不好好学，现在竟然画图侮辱老师，我今天一定要好好教训你！"说完，拿起鞭子准备重重打下去，这时兄弟们都在旁边看，一副幸灾乐祸的样子。

米开朗基罗觉得他在学校已经为做错的事受罚，回家后不该再被处罚一次，他不知道哪里来的勇气，大声对父亲说："爸爸，你不能打我，我已经被处罚过了！"大家一听都吓了一跳，在那个时代，父亲是很有权威的，以打骂方式来教育孩子更是普遍的现象，没有多少孩子敢为自己辩驳。洛多维科手停在高处，眼光扫过所有人，米开朗基罗的几个兄弟赶紧走进房里，弗朗西斯科先生尴尬地说："波纳罗蒂先生，我已经处罚过他，您就别再打他了。"洛多维科看到米开朗基罗脸上倔强的表情，叹了一口气，斥喝他回房去，他再三跟老师保证会好好教导米开朗基罗。

米开朗基罗的继母到房里对他劝导一番，他小小的心灵也了解到，违逆大人们订下的规矩，只有苦头吃，所以他答应继母要准时上学，用心在课业上。他想，还好父亲对他涂鸦的事睁一只眼、闭一只眼，让他还能拥有一些快乐的时光。继母满意地离开他的房间，四周似乎安静下来，在寂静中他仿佛听到奶娘家，托马佐敲凿石头的"当

当锵锵”声，那么熟悉，却那么遥远！米开朗基罗开始认识“孤单”，这种孤单并不是因为没有人陪伴，而是身旁的人不能互相了解，不能一起快乐地做同一件事。他摸摸自己的脸颊，真希望抹下一些石头的粉屑，像小时候一样。

经过这次事件，米开朗基罗似乎一下子长大很多，他尽量努力学习，让课业成绩通过，对老师保持尊敬的态度。他喜欢一个人上学，常常变换不同的路线，看不同的景物，他很用心观察，也把一些奇特的景物画下来。

洛多维科一直想不通，他们波纳罗蒂家族极少与艺术扯上关系，为什么米开朗基罗却对艺术情有独钟？追溯原因，很可能来自米开朗基罗母亲那一边的遗传，他母亲的家族曾经建造过一座教堂，里面有圣母像和一些精美的壁画。他们也曾经在佛罗伦萨建造过一座富丽堂皇的宫殿，里面收藏有许多杰出的艺术品。此外，他们的庭院曾经是学者们讨论诗文、哲学和戏剧的场所。米开朗基罗的母亲死后，他父亲就很少和那一边的亲戚来往，但那种对艺术的爱好应该已经在他的基因里潜伏着。

读了大约两三年的书，有一天的上学途中，米开朗基罗正专心地看着一座雕像，一个年轻人走来对他说："我看你一副手很痒的样子，也许你想在什么东西上涂些色彩，也许你也想拿把榔头敲击石头，对不对啊，小不点！"他看看那个年轻人，身上穿着沾满颜料的衣裤，一副满不在乎的样子。被叫成小不点他有点不高兴，因为那个年

轻人看起来也没有大他多少。他平常就不太喜欢跟人多讲话，这个时候更好像心里的秘密被看穿一样，恼羞成怒地回答：“才没有!”

年轻人还是那副满不在乎的样子，说：“少骗我了，其他小朋友都盯着卖糖果的摊贩瞧，只有你老是看这些壁画或雕像。你倒是说说看，你知道壁画是怎么画出来的?”

“我不知道。”米开朗基罗小声回答，心里很想知道。

“壁画，简单地说是先在墙上涂一层粗灰泥，把草图画在上面，等灰泥干了，再涂一层细灰泥，在这层灰泥半干的时候，就要把调好的颜料涂上去，等墙壁完全干了，壁画也就完成了。”

年轻人的解说，米开朗基罗并没有十分懂，不过他很高兴听到跟绘画有关的常识，他的眼神透露出渴望了解的样子。年轻人继续说：“我叫格拉纳奇，是吉兰达约大师画室里的学徒，我帮他研磨颜料，也在一旁看他画画，有时候我也可以画上几笔哩!”

吉兰达约是当时非常有名的画家，要进入他的画室当学徒可不容易，因此格拉纳奇在介绍自己的时候，有一股骄傲的神情。米开朗基罗的父亲不鼓励他画画，所以他压根儿没听过这个大师的名字，他说：“我叫米开朗基罗，我没有听过吉兰达约大师的名字，不过我很想看看别人怎样画画、怎样雕刻。”

“那没有问题，我先去跟师傅说，他如果答应，改天我就带你去画室见他。”格拉纳奇拍着胸脯说。米开朗基罗高兴得心都要跳出来了，突然他发现自己已经迟到了，就匆匆向格拉纳奇告别，连跑带跳地往学校去。

格拉纳奇还没征求老师同意前，他先从画室拿些颜料和纸笔给米开朗基罗，米开朗基罗如获至宝，一下了课就跑回家画。洛多维科发现他画得废寝忘食，不得不提醒他多放一些精神在课业上。米开朗基罗鼓起勇气告诉父亲，他想去学画，以后当个画家。洛多维科听了，当场发了一顿脾气，在当时人的观念里，画家靠手艺赚钱，社会地位不高，而波纳罗蒂家族，可是佛罗伦萨自古以来的贵族，怎么可以从事这种低贱的行业。其实渐渐成长的米开朗基罗，也很以自己的家族血统为荣，但是对艺术天生的爱好，让他觉得艺术工作也值得令人尊敬。他把这个想法告诉父亲，父亲很生气，觉得他观念偏差，说："小时候不该送你去那个石匠家的！"

听了这句话，米开朗基罗的气也来了，虽然他住在奶娘家的时间不长，但是他对奶娘家的印象一直很深刻，奶娘芭芭拉和她的丈夫托马佐都是他喜欢的人，他不高兴父亲用这种口气说他们，他提高声调回答："我觉得芭芭拉他们很高贵，跟他们在一起很快乐，哪像我们家，老是阴沉沉的。"

"啪"的一声，洛多维科重重地拍了一下桌子，桌上的茶杯"哐啷"摇晃了几下，夫人和乌苏拉出来看是怎么回事，只见他们父子俩像两只公鸡，都气得涨红了脸。这时十三岁的米开朗基罗正在叛逆期，他的两眼距离比较宽，平时眼睛炯炯有神，这时更像要喷出火一般，坚挺的鼻子显示出他刚毅的性格。乌苏拉过来劝米开朗基罗，继母则

忙着安抚洛多维科。

米开朗基罗想要以画家当职业这件事,在波纳罗蒂家族引起很大的震撼,他一个叫弗朗西斯科的伯父,知道后还打了他一顿,希望他打消这个蠢念头。可是米开朗基罗像一颗饱涨的气球,大人们拍打的力量越大,他反弹的力量也越强,他不肯妥协。他父亲拿他没办法,这个在山区长大的"狼崽子",长得瘦黑却很精悍,不轻易屈服。

几天后,格拉纳奇真的带米开朗基罗到吉兰达约的画室,米开朗基罗被画室的景象吓到了,只见到处都是画板、画框、画架,还有研磨颜料的盆子、盛放颜料的瓦钵、调色玻璃瓶等等,整个屋子充满颜料的味道。在这样拥挤的屋子里,米开朗基罗都不知道怎么把脚跨进去,可是那些学生却能在其中走动自如,帮老师做这做那。画室最里面铺着一些木板,晚上的时候,学生们就挤在木板上睡觉。住惯了整齐宽敞的家,米开朗基罗对这里的环境很好奇,很想来跟大家挤一挤。

吉兰达约正在指导学生作画,格拉纳奇把米开朗基罗带到老师面前,说出米开朗基罗学画的心愿。吉兰达约看了看眼前这个瘦黑的小伙子,问他:"你画过什么?"米开朗基罗立刻从书包里拿出一沓素描,吉兰达约发现这个小伙子的绘画技巧虽不纯熟,可是线条挺有力,觉得他是可造之才。他表示愿意收米开朗基罗为学徒,米开朗基罗露出兴奋的表情,可是马上又显出忧虑的样子,格拉纳奇跟老师讲了米开朗基罗家人反对的态度。吉兰达约拍拍米开朗基罗的肩膀说:“明天放学后,我去找你父亲谈谈。”

第二天,米开朗基罗整天心神不宁,老师说的话都没有听进去,好容易捱到放学,一口气跑回家,忐忑不安地躲在一旁,观察父亲今天的心情。当仆人通报大画家吉兰达约来拜访的时候,洛多维科有些意外,不过还是客气地请他上座。吉兰达约直接表示要收米开朗基罗为学徒,洛多维科还谦虚地表示米开朗基罗不是当画家的料。

吉兰达约说:“波纳罗蒂先生,您说的恰恰相反,我看过令郎的素描,以我教画多年的经验看来,他的天分极高,将来一定会为您的家族光耀门楣。”

洛多维科不好当面拒绝,只好转向米开朗基罗,说:“当学徒很辛苦,要做很多杂事,像仆人一样,而且也可能被老师打。”

谁知米开朗基罗用坚定的语气,大声说出:“只要能学画,我什么苦都愿意接受。”吉兰达约提出优厚的条件,别人学画要付钱,米开朗基罗不但不必付钱,还有酬劳可以拿,这让洛多维科更没有拒绝的理由,只好和吉兰达约签下三年的合约,合约上讲好往后三年内,吉兰达约必须让米开朗基罗学会所有指定的手艺,并且要付给洛多维科二十四个弗洛林(金币的名称)。合约签好以后,吉兰达约先付了一些订金,米开朗基罗正式成为画室的学徒。

米开朗基罗结束苦闷的学校生活,走入他喜爱的艺术世界。这里先录下一首他长大后写的诗,从这首诗可以窥见他肯定艺术家的价值,因此不顾家人打骂,也要走上这条路。诗是这样写的:

致瓦萨里

——为“艺术家的生活”而作

凭着画笔和各种颜料，
你使艺术和自然融为一体，
你还汲取了自然的珍奇，
使原来秀丽的形象更加美妙。
你挥笔自如，手儿多么灵巧，
作品也一幅比一幅瑰丽。
你过去不足之处和自然的某些奥秘，
如何使人物栩栩如生，你都明了。
任何时代，如果人们满心希望
创作出优美的作品，就得向自然臣服，
然后才能达到预定的目标和理想。
你把别人已被熄灭的形象重新燃亮，
尽管有时间和自然的约束，
你却为人们和自己争得永恒的荣光。

整首诗浅显易懂，是他在艺术的天地摸索很久后体会出来的经验之谈，从这首诗，我们也了解到米开朗基罗一生无怨无悔，投注了许多时间和心血，为他自己争得永恒的荣光。

在吉兰达约画室的生活跟在家里的生活，简直是两个世界。在家里，杂务有仆人做，米开朗基罗和兄弟们以读书为主；在画室却要像仆役一样，供师傅使唤。吃的是大锅饭，当然没有家里的可口，但是一群人抢东西吃挺热闹的，不须管太多餐桌规矩；穿着就更随便，在画室里随时会被颜料沾到，所以他们都穿耐脏耐磨的衣服，甚至是有补丁的衣服。睡觉的条件更不好，学徒们挤在硬邦邦的木板上，没有多少个人的空间，不过米开朗基罗很快就适应了。在画室他可以学习作画的基本技巧，还可以观察老师、同学作画的方法。画画在这里是理所当然的事，不必像在家里，偷偷摸摸怕被发现。

吉兰达约画室的规模是佛罗伦萨数一数二的，学徒依资历的深浅和能力分配工作。吉兰达约常常接壁画的工作，比较重要的部分由他自己负责，次要的部分由能力好的学徒画，差一点的学徒画一些不会引人注意的地方。米开朗基罗年纪最小，资历最浅，他负责去商

店取颜料，或在现场帮忙递颜料和笔、清洗水桶等杂事。没事的时候，米开朗基罗把老师和同学当模特儿，画出他们的各种姿态，他越画越好，速度也越来越快。有时候他趁外出办事的机会，都会一路观察摊贩、路人，或窗台上舔毛的猫、街角懒洋洋的狗。

吉兰达约画室接的工作大多和宗教画有关，记得米开朗基罗刚来画室时，负责管理学徒的门那第曾经对他说："我们所画的东西大多是为了装饰，要能把故事画得生动活泼，让人觉得好看，即使是圣徒殉难的画面也要这样做，记住这一点，你会成为成功的画家。"可是米开朗基罗画得越多，就越不能满足这种做法。

有一天，他大胆地向吉兰达约问："为什么我们从来没有画过裸体的模特儿呢?"

吉兰达约吓了一跳，没想到小小年纪的米开朗基罗会提出这么劲爆的问题，他严肃地回答："自从古希腊的异教徒画过裸体画以后，就很少有人画那种画了。现在我们主要是为基督徒画画，要考虑到大多数人的想法。再说，画画要追求美感，光溜溜的身体画下来多么丑陋啊！米开朗基罗，老师觉得你很有天分，你好好学，将来一定有出息。"

老师说得头头是道，米开朗基罗一时不知道怎么辩驳，老师这样的答案只是更加深了他的疑惑：古希腊人觉得裸体很美，还留下许多佳作。米开朗基罗觉得肌肉和骨骼结合，构成每个人看起来相同，却又各有特色的身体，这本身就是一件奥妙的事。上帝创造人类时，并没有为人类穿上衣服，上帝这样做一定有他的旨意。米开朗基罗暗自下定决心，要把上帝的旨意找出来。

不久，吉兰达约要在新圣玛利亚教堂的墙壁上画《圣约翰诞生图》，所有的学徒都跟着去工作。米开朗基罗主要还是担任杂务工，帮忙画画的人递颜料和画笔等，但是空下来的时间他的笔也没闲着，只见他的笔在素描纸上像蜜蜂一样飞来飞去。中午吃过饭后，吉兰达约看到学徒们围在一起，叽哩呱啦对着米开朗基罗谈论着。他好奇地走过去，发现他们正在谈论米开朗基罗的画。吉兰达约的眼睛一亮，原来那是一张他们工作时的速写图，每个人的姿势、表情都不一样，画得维妙维肖，整张画面充满动感，构图和透视法也把握得很精准。他指着画中的自己对米开朗基罗说："你这小子真是个天才！"

学徒们也争相指出画中的自己，大家都好开心，把大半天的劳累给消除了。得到师傅和同学们的赞赏，米开朗基罗增加了信心，但是他觉得还有许多要学习的地方。

除了在画室里学画，米开朗基罗还喜欢"自学"，他临摹一些画的构图，也常研究版画的细部表现，渐渐地，他也自创了新的画法。有一次，他想以当时的版画家马丁·舍卡韦尔的风格，画一张被魔鬼折磨的圣安东尼。在他的想象中，魔鬼应该是丑陋又令人害怕的，于是他走出画室，去看野狗们如何争斗、野猫如何对付老鼠，或公鸡生气时有什么表情之类的，他想要捕捉魔鬼愤怒的表情。经过不断观察、思考，米开朗基罗终于动手画这张素描，画完后他拿给吉兰达约看，

吉兰达约相当惊讶,因为在这幅画中,米开朗基罗用了许多他自己创新的技法。才十四岁的少年就有如此成绩,让已是大师级的吉兰达约又欣慰又嫉妒,欣慰的是“得天下英才而教之”乃人生一大乐事;嫉妒的是怕他很快会“青出于蓝而胜于蓝”。

尽管米开朗基罗的绘画受到肯定,但是他的内心深处好像还在寻找什么东西。那时他们还在新圣玛利亚教堂工作,休息时间他们喜欢坐在主座大教堂的阶梯上,观看赛会的游行队伍。佛罗伦萨的街道上常有这种赛会,队伍中的女孩子穿着丝质的高领长袍,里面的长裙随着她们曼妙的脚步摇曳,色彩鲜丽的丝巾更衬托出她们的飘逸。年轻的富家子弟穿着潇洒的白上衣,搭配细长的紧身裤,裤管还染着不同的颜色,并配上家族徽章的图案,炫出他们家族的荣耀。

有一个叫雅各布波的学徒,坐在古罗马的一个雕花石棺上,眼睛直盯着游行队伍看。米开朗基罗悄悄地爬上来,挨着雅各布波身边坐下来准备欣赏。他的手抚按着石棺上的雕像,突然他好像触电一样,把眼睛移向雕像,一边摩挲,一边对雅各布波说:“嘿,你摸摸看,我感觉这些大理石雕像好像是活的,会呼吸哩!”由于他的声音充满兴奋,大家都回头看他,他接着说:“上帝算是第一个雕刻家,他雕刻了万物的形象,可是现在佛罗伦萨却没有几个雕刻家,为什么呢?因为雕刻家要用榔头和凿子那些工具,耗费的心血和体力都很多,不像画家这么容易。”

大家听了都很不高兴,他们可是立志要当画家的人。

米开朗基罗的好朋友格拉纳奇反驳说:“照你这样说来,是用辛苦劳力来评定艺术的高低,那采石工人不就比雕刻家厉害,铁匠也比金匠伟大喽!”

“我没有这个意思,我是说雕刻表现出来的东西更真实些,雕刻所需要的准确性也比绘画难多了。”米开朗基罗想把自己的想法说清楚。

这时,在他身旁的雅各布波站起来说:“我觉得雕刻能雕出来的不过是些人啦、动物啦,不像画画可以有无限的想象空间,天空中的太阳、星星、月亮,大地上的山啊、水啊,都可以轻易地画出来。”

“你们应该知道,绘画不容易长久保存,气候不好或时间久了,画面就会褪色、龟裂。如果有火灾,更是一下子就烧毁了。石头就不怕这些问题,看看这个大理石棺材,它还是跟刚刚雕好一般。”米开朗基罗拿石棺当例子,想说服别人。

管理画室的门那第听他们争论不休,举起双手要他们安静,然后对米开朗基罗说:“你说的有点道理,但是,你有没有想过,大理石的价格太高,也不容易取得,绘画的材料便宜多了,也方便买到,再说买画回家挂起来的人比较多,画家的收入比较稳定。如果你想成为一个雕刻家,谁会送石头让你练习?你平常要靠什么过日子?”

米开朗基罗根本没考虑到这些问题,事实上他对雕刻也还一知半解,只是每次摸到石头都有一股熟悉感,他特别喜欢石头厚实的感觉,他喜欢把脸靠在石雕上,闭着眼睛享受那份亲切感,石头总会

带他回到一段快乐的时光。他又听到“当当锵锵”的声音在呼唤他。

有一天，吉兰达约拿一张以前画的素描，要米开朗基罗临摹一张。当米开朗基罗把原稿和他自己画的交给老师时，老师看错了，以为米开朗基罗画的是他自己的，就指着原稿纠正一些错误。这时，米开朗基罗很不好意思地告诉老师，这张是老师自己的，吉兰达约恍然大悟，说：“我相信你终有一天要超越我，只是没想到这一天会提早到！”这话像是自言自语，也像是对米开朗基罗说的。

从此，出去画壁画的时候，米开朗基罗也可以参与画画的工作，不再是办杂务的小厮了。不过，在墙壁上作画跟在纸上作画不一样。在墙壁上作画有许多基本技巧要学习，像如何和灰泥，再用抹刀把灰泥涂到墙上；如何把画纸上的原稿，转移到墙壁上；如何把核桃大的颜料磨碎；如何用猪鬃制作画笔；如何调出需要的颜色等等，零零总总加起来，可是一门大学问，还好师兄们都很乐意教他，一段时间之后，他就可以独立作业了。

米开朗基罗学习起来像海绵一样，吸收得很快，渐渐地他觉得吉兰达约画室可以学的东西不多了，常常一个人在那里发呆。格拉纳奇想为他找点乐子，让他精神振奋些，一天，他神秘兮兮地对米开朗基罗说：“我带你去一个地方，你一定很有兴趣。”米开朗基罗不知道他葫芦里卖什么药，但格拉纳奇是个精灵鬼，跟着他就没错啦！

格拉纳奇带米开朗基罗走到一扇小门前，推开门进去，里面是一个很大的花园。他们从一条小路往前走，尽头有一个喷水池，池当中有一尊雕像，叫《拔刺的少年》。沿着小路走，可以看到一条回廊，回廊上陈列着好几尊罗马时代的雕像。米开朗基罗的眼睛都亮起来了，格拉纳奇对他说："这是一座雕像花园，是大名鼎鼎的洛伦佐·德·梅迪奇先生创办的圣马可学院，聘请著名的白托多来这里教学。"

洛伦佐·德·梅迪奇是佛罗伦萨的金融家兼政治家，拥有很大的权力，也是个非常有钱的富豪。当时一些像洛伦佐这种有权有势的意大利富豪，都喜欢研究古希腊文学，也喜欢接待因土耳其入侵而逃亡的希腊学者或艺术家，那些希腊学者和艺术家也就以自己的专才来教授意大利的年轻人。

洛伦佐还喜欢到处搜罗稀世珍宝，他想要把自己的宫殿建设成一流的博物馆,他在圣马可修道院内,模仿雅典的学院建造了这所学院,专门招收有艺术天分的年轻人,聘请著名的艺术家来指导,成为当时的一座艺术圣殿。

白托多是位著名的雕塑家,他是闻名的雕刻家多那泰罗门下最杰出的弟子,喜欢雕刻的米开朗基罗早就很景仰他了。他们走进一间娱乐厅的走廊,那个走廊很宽敞,有十多个年轻人在雕刻石头,旁边有一位老师正在指导学生。格拉纳奇指着那个老师,小声对米开朗基罗说:“他就是白托多先生,我以前看过他。”米开朗基罗仔细看着那位老师,心想要是能当他的学生多好!一看完,格拉纳奇赶紧拉着米开朗基罗,循着原来的路径离开圣马可学院。

去过圣马可学院之后,米开朗基罗有点失魂落魄,那些年轻人专心雕刻的神情,似乎唤醒他童年时在奶娘家“当当锵锵”的敲击声。格拉纳奇知道他得了“石头相思病”,告诉他一个天大的好消息:洛伦佐要在他的卡列吉别墅举行一场节庆,邀请许多著名的学者和艺术家参加;更棒的是这种充满古典风格的节庆,也欢迎有兴趣的人参加。

这一次米开朗基罗他们是从别墅的正门进去的,一进入气派的大门,就是一条林荫大道,两旁是高耸的橡树林。走完林荫大道,整个视野宽广起来,在一个广场上,一组健美的裸体青年已经开始角逐技艺了。所有竞技的项目都是仿照古典式样,有赛跑、赛马、掷铁饼等等,一种接一种轮番上阵。青春美丽的姑娘们,穿着飘逸的古

希腊长袍，长发像瀑布般垂下。

主人洛伦佐满面笑容的在人群中穿梭，和宾客们握手打招呼。洛伦佐发现在盛装的宾客中，有两个年轻人穿着与众不同，他们两人专心看着表演，神情天真而脱俗，洛伦佐忍不住过去和他们打招呼。那两个人就是米开朗基罗和格拉纳奇。

洛伦佐说："嗨，小伙子，你们应该是哪一家画室的学徒吧？"

米开朗基罗意外看到一个绅士出现在身边，一时不知道该怎么回答，还是格拉纳奇反应比较快，回答："是的，洛伦佐先生，我们来自吉兰达约画室。"

"你们觉得今天的表演如何？"

"太棒了，我从没看过这么精彩的表演，真该把他们的表现记录下来。"这次米开朗基罗抢先回答，显得有些兴奋。

洛伦佐打量着眼前这个年轻人，觉得他跟其他人有点不一样，他微笑地对米开朗基罗说："你倒是说说看，要怎么把他们记录下来？"

米开朗基罗不知道怎么回答，神情有些尴尬，格拉纳奇说："可以画下来，也可以用雕刻表现，洛伦佐先生，我这位朋友对雕刻特别有兴趣。"

"哦，真的吗？欢迎你们以后常来玩。那边有朋友在招呼我了，我这就过去，再见！"洛伦佐说完匆匆走开。

这一个角落，米开朗基罗和格拉纳奇可是乐翻了天，从此一有空常往这里跑。

他们去圣马可学院时，总是专心看人家雕刻，或欣赏里面的作品，不过他们并没有再碰到洛伦佐。有一天，他们又到圣马可学院来，竟然看到洛伦佐迎面走来，他们恭恭敬敬上前道一声：“洛伦佐先生，您好！”洛伦佐每天看到的人很多，并不特别记得他们是谁，他以为在圣马可学院出现的年轻人，都应该是学院里的学生，只是他觉得这两个学生的穿着未免太邋遢。

洛伦佐面露怒容地对他们说：“你们两个这样邋邋遢遢，怎么配当本学院的学生？”

米开朗基罗原本摆出的笑容僵住了，还好灵活的格拉纳奇赶紧解释说：“洛伦佐先生，我们不是贵学院的学生，我们是吉兰达约画室的学徒，上次节庆时，我们来参观，您跟我们谈过话，您说我们随时可以来的。”

“哦，我记起来了，就是你们两个，好像你们其中一个对雕刻特别有兴趣。”洛伦佐知道自己搞错了，换上优雅的微笑。

格拉纳奇推推米开朗基罗，要他自己回答，米开朗基罗腼腆地说：“是我，我叫米开朗基罗，我从小就喜欢拿石头敲敲打打，我总觉得雕刻这一门艺术比绘画高超。”

洛伦佐看着米开朗基罗说：“如果你那么喜欢雕刻，为什么不到圣马可学院来呢？”

“我父亲和吉兰达约画室签了三年的约，现在才过一年。”米开朗基罗黯然地回答。

“你是怕负担违约金吗？没问题，我去跟吉兰达约先生谈，必要的话，我可以代替你付违约金。”洛伦佐轻松地说。

米开朗基罗简直不敢相信自己的耳朵，当时他坚持要去学画，差点闹家庭革命，父亲勉强答应，所以他根本不敢对父亲说他对雕刻更有兴趣。米开朗基罗脑中千回百转，眼睛发愣，一副呆若木鸡的样子。格拉纳奇赶紧把他捏醒，暗示他回答，他才如大梦初醒，急急地回答说：“谢谢洛伦佐先生，我一定会好好学习。”

等待的心情只能用“度日如年”来形容，好几天过去了，洛伦佐都没有出现，他们以为他是大人物，不会记得对他们这种小人物的承诺。

没想到有一天，吉兰达约把米开朗基罗叫到面前，说：“米开朗基罗，洛伦佐先生想让你到圣马可学院去，我看你对雕刻的确有一股狂热，连你的画都有雕刻的味道，你是不是愿意过去？”

米开朗基罗高兴得说不出话，只是猛点头。就这样，米开朗基罗成为圣马可学院的学生，由他景仰的白托多大师指导。

白托多名气很大，却非常平易近人。他长得高高瘦瘦，有一头鬈曲的银白色头发和一双灰蓝色的眼睛。白托多喜欢笑，即使是在责备学生时，也面带笑容。对米开朗基罗而言，有良好的学习环境、和蔼的老师，又能接近他自小熟悉的石头，真是太幸运了！

不过，他还不能在石头上雕刻，白托多看出他很心急，告诉他：“孩子，学东西要按部就班，在你学会雕刻石头之前，要先把素描基础打得更深厚，还要先学会使用雕刻刀，这就像小孩学走路一样，先会坐、会爬、会站以后，才可能跨出第一步啊!”米开朗基罗知道老师说得有理，可是他认为自己已经学了一年素描，基础够了。最令他难过的是，白托多对他挑剔特别多，他觉得自己的作品明明比别人好，却得不到老师的赞美；不但如此，老师还常要求他做一些“不可能的任务”，例如：要他从梯子上画模特儿，或要他坐在地板上，往上仰看模特儿来画。有时候连假期也不放过他，要他构思礼拜画的主题。

圣马可学院的学生经过成绩考核，每个月多少可以领一些奖金当零用钱，米开朗基罗已经来八个月了，却领不到半毛钱。有一次回家，他父亲忍不住问他，白托多先生是否赞美过他的作品，洛伦佐先生是否注意过他，他都只能摇头，心中沮丧极了。

米开朗基罗想不通老师为什么要处处刁难他，他对老师的第一印象可是“和蔼可亲”呢! 不过尽管心里不高兴，老师交代的作业，他都努力达成。终于有一天，白托多拍拍他的肩膀说：“从今天开始，我来教你雕刻吧!”听到这话，米开朗基罗的眼泪都快飙出来了，嘴唇颤抖得说不出话。

白托多准备由泥雕和蜡塑开始，米开朗基罗却说：“我不想学这些泥雕蜡塑，我想直接在石头上雕刻。”

白托多笑笑说：“傻孩子，雕刻石头是拿榔头和凿子凿去石头不要的部分，而泥雕和蜡塑却是不断在材料上堆砌，两者都是要做出你心中想要的样子。”

“对啊，既然它们都是要做出我心中想要的样子，那我就用石头雕刻不是更直接吗？”

“泥雕和蜡塑可以练习如何把平面的绘画变成立体的雕塑，因为雕像要由各个角度看，不同角度就是不同的作品，所以要每一个角度都完美才可以算是好作品。”白托多耐心地解释。这时候米开朗基罗才知道雕刻是一门大学问。

从此，米开朗基罗心甘情愿地从蜡塑开始，学习更多的技巧，转眼间他已经在圣马可学院待了一年。奇怪的是，洛伦佐从来没有邀请米开朗基罗到他的府邸去，一般学生在圣马可学习一段时间后，都会被邀请去府邸吃饭，这是一种荣耀，比拿奖金还光彩。米开朗基罗心里有些难过，后来想一想，一定是自己表现不够好，他想真正雕一个石雕，看看自己的技巧是不是熟练了。

刚好洛伦佐要举办一场大型学术研讨会，为了这场研讨会必须盖一座会议厅，所以有许多大理石运到卡列吉别墅放着。米开朗基罗到放石材的地方绕一绕，发现一块不太大的石块掉在一旁，他不动声色地把它捡起来，心里非常兴奋。

有一天，他把白托多交代的功课做完，就到花园去寻找他的模特儿，当他看到喷泉边的牧神像，他决定仿照牧神像雕刻。这里是花园中比较僻静的角落，树木蓊郁，只听得到流水淙淙，还有风吹过树梢的沙沙声，很适合从事艺术创作。经过一番构思，米开朗基罗勇敢的凿下第一刀，于是榔头敲打凿子，在大理石上发出的"当当锵锵"声，加入流水的淙淙声和风的沙沙声，好像一曲轻快的奏鸣曲。米开朗基罗仿佛回到童年，回到奶娘的家，敲打乐再度撼动他的生命。

虽然经验不丰富，但凭着一股热情，原本冷硬的大理石开始有了形体。"哎呀!"他偶尔发出遗憾的声音。由于是第一次雕刻石头，难免手不完全遵照心里想的，不过整体来说，第一次就能有这样的成果，可见他真的有天分。

正当米开朗基罗沉醉在雕刻的世界里时，有一个神秘的人物轻轻踩过落叶，在他后面静静地看着。看了好一会儿，这位神秘人轻轻

拍了拍米开朗基罗的肩膀,米开朗基罗回头一看,吓得手上的牧神像都掉到地上了。原来这位神秘人正是洛伦佐先生!米开朗基罗僵在那里,头低着,好像做错事的小孩被逮到的神情。

洛伦佐把牧神像捡起来,对照着喷泉旁的牧神像看,说:“孩子,别害怕,我在这里站了好一会儿,怕打扰你的工作所以没有叫你。这是一尊半人半羊的神像,你抓住了他的神韵,可是这尊牧神像是个老头,你雕的嘴唇似乎饱满了些。”

米开朗基罗听到这些话,头抬起来,回答说:“洛伦佐先生您说得对,我因为是第一次雕石头,不敢太用力,所以把嘴唇的部分雕得太厚。”

洛伦佐接着说:“第一次就有这种成果,非常不错了!你叫米开朗基罗对不对?”

“对,洛伦佐先生,我太喜欢雕刻石头,所以自己拿了一块掉在一旁的大理石来雕,希望您原谅。”米开朗基罗很惊讶洛伦佐先生竟然记得他的名字。

“天晚了,赶快去吃饭吧,明天还有明天的功课。”洛伦佐答非所问。

“是的,洛伦佐先生,我收拾好这些屑屑就回去。”米开朗基罗回答,目送洛伦佐离开后,他迫不及待的把那两片嘴唇修改一下,把牧神像藏在喷泉旁才回去。

这一夜米开朗基罗翻来覆去没有睡好,心情五味杂陈,又兴奋又惶恐，对自己的信心，一下很高昂，一下很低落。没等到天亮，他又跑到喷泉旁，想再把牧神像修改得更好，奇怪的是牧神像不见了。正当他找得焦头烂额的时候，一位同学来告诉他，洛伦佐先生要见他。这时候，他的心情只可以用“十五个吊桶提水——七上八下”来形容。

米开朗基罗跟着那位同学走过好几重华丽的门，终于来到一个陈列厅，里面有许多雕刻品被精心地布置着。洛伦佐正站在一个陈列架旁，对他微笑着。等那位同学告退以后，洛伦佐指指架子上的一个作品要他看。米开朗基罗不看还好，一看差点昏倒，那件作品不正是自己的牧神像吗？竟然被摆在一个醒目的位子，他猜不透洛伦佐的意思，杵在那里不敢动。

“孩子，过来，来看看你的杰作。”

米开朗基罗机械式地走近，脸上仍旧是一副恍惚的表情。

“孩子，你是罕见的天才，这件作品虽然不是很成熟，可是已经可以看出你的大气魄，我要好好栽培你。”

“可是我，”米开朗基罗舔舔嘴唇，继续说，“洛伦佐先生，您还不太认识我……”

“孩子，我可是很认识你了。”洛伦佐边说边由一个羊皮纸袋取出一沓画说，“看，这是你的画，我一直收着。白托多先生和我早就看出你有艺术天分，可是要成为一个艺术大师，要比一般人还能吃苦、还要有毅力，所以我们用比较严厉的态度考验你，你算是通过了。”

听了洛伦佐的话，米开朗基罗才体会到之前所受的不公平待

遇,原来是一种考验,他曾经忿忿不平,最后总因对艺术的热爱而忍下来。他脸上的表情总算轻松一点,轻轻对洛伦佐点头表示感谢。

洛伦佐说:“从今天开始,你就搬到我家里来,我给你一个独立的空间学习。还有,除了雕刻,你也要读一些书,我府邸中的哲学家和诗人们会给你指导。”

对米开朗基罗来说,有什么比做梦更能形容他此刻的心情?一个十五岁的孩子,特准住进洛伦佐先生的府邸,还能蒙受当代闻名的学者、艺术家亲自指导,这不是梦是什么?他在圣马可学院的地位一下子提升很多,住在府邸里的生活起居比其他学生优厚,甚至比在自己家里好。

进入府邸没有多久,米开朗基罗领到三个“弗洛林”,这是他进入圣马可学院第一次领到钱,而且是不小的一笔钱,他决定把这笔钱用在有意义的地方。挑一个放假日,他手上拿着大包小包,雀跃地骑马到乡下奶娘家。许久不见,石匠托马佐和奶娘芭芭拉差一点认不出他来,这个时候的他已经像个大人,他赶紧把礼物交到他们手中,芭芭拉的是一件端庄的礼服,到教堂做弥撒可以穿;托马佐的是一双高统靴,方便上山采石头时穿。他又见到朱里奥这个童年玩伴,他送给朱里奥的是皮带,看起来很帅气,正是朱里奥需要的。米开朗基罗很乐于和他们分享他的第一份奖金,因为以前他们都乐于和他分享一切,包括他们的爱,这种爱他在家人身上反而得不到。

米开朗基罗很珍惜上天赐给他的机会,全心全意埋头在艺术的天地里，不太去管其他人的看法。不过他所受的待遇高出其他人，难免受到同学嫉妒，其中有一个叫托里吉亚尼的学生，心里最不平衡。白托多要求学生要常去教堂临摹大师的作品，有一次，大家在教堂素描，托里吉亚尼故意坐在米开朗基罗旁边，还把画板往米开朗基罗的画板靠，这样他的手就刚好搭在米开朗基罗的胳臂上。米开朗基罗很自然的挪开一点，托里吉亚尼说："我不配和你坐在一起吗？你现在可是圣马可学院最了不起的学生哩！"

米开朗基罗火气也上来了，平常托里吉亚尼讲话"讽刺"他，他都不当一回事，今天算是公然挑衅，毕竟米开朗基罗还是个血气方刚的小伙子，马上语带愤怒地说："你的手妨碍到我手臂的活动，我挪开一点有错吗？"

托里吉亚尼用酸溜溜的口气说："这个地方大家挤成一团，当然不像你在卡列吉别墅的个人工作室舒服。"

其他人听出托里吉亚尼讽刺的口气，都放下画笔，围在一旁大笑。米开朗基罗气得脸色通红，说："大家的素描基础都还要加强，赶快画画，别浪费时间了！"

"谁在浪费时间啊！这些壁画我们都临摹那么多次了，你少假惺惺，你不过是为了讨好白托多先生才来的。"托里吉亚尼不屑地说。

"你们不要以为临摹几次就够了，这些大师的作品值得我们不断学习。"

"哈，米开朗基罗的意思是说我们大家程度还差得很呢！"托里

吉亚尼这么一说，大家都大声骂米开朗基罗太骄傲，简直是狗眼看人低。

“托里吉亚尼，你不要歪曲我的意思！”米开朗基罗几乎是在吼叫了。

“米开朗基罗，不要以为你能住进府邸就很伟大，告诉你，当你还在捏泥巴的时候，我早就开始雕刻石头了，看看现在，你到底雕出几件东西？”托里吉亚尼也越来越大声。

米开朗基罗哼一声说：“好，算你伟大，我不跟你争！”

说时迟，那时快，托里吉亚尼迎面给米开朗基罗一拳，很扎实的一拳。米开朗基罗只觉得一阵天旋地转，嘴里涌出一股血腥味，就不省人事了。

醒来后的米开朗基罗不知自己身在何处，整个头有一种胀痛感，他下意识地摸摸鼻子，不禁尖叫一声，好痛啊！记忆随着痛觉慢慢像影片一样，映现在脑海。他想起来了，他和托里吉亚尼有一些争执，引来这一拳。他挣扎着爬起来，去镜子前看看自己，一个像面包的脸庞出现在镜子里。他跌坐在床沿，两手轻轻抱住头，心里感到很孤独——一种不被同学了解与接纳的孤独。

在米开朗基罗的内心深处常有一种孤独感，感觉到人和人之间存在着复杂的情感。例如：他爱他的父亲，可是他们之间好像隔着一条沟；他喜爱家人，可是他和兄弟仿佛生活在不同的世界。一起学画、学雕刻的同学虽然有共同兴趣，可以互相切磋琢磨，但存在他们之间的是更多的竞争、嫉妒。尤其他受到洛伦佐特别的待遇之后，明显感觉到一些敌意。他的头脑很纷乱，他感受到艺术这条路，注定是孤独而痛苦的。

"孩子，你醒来了，还痛吗？"白托多慈祥的声音响起。

米开朗基罗很想跟老师说脸部的痛比不上心里的痛，可是当他看到老师忧虑的脸，他摇摇头说："好多了，对不起，白托多先生！"

"孩子，天才总是受到嫉妒，成功的路总是充满荆棘，最重要的是自己要立定目标，勇往直前，不必太在乎旁人的掌声或怒骂！"

"也许我没有那么好，是洛伦佐先生和您错看了我。"米开朗基罗有点怀疑自己真是个天才吗？

"傻孩子，努力往前走的人就是天才，我们等着看吧！托里吉亚尼已经逃走了，洛伦佐先生跟大家训了话，以后同学们不会再无理取闹了。"

托里吉亚尼这一拳打得不轻，米开朗基罗的鼻梁有些塌陷，成为终身的印记。

柏拉图学院里的『小』学生

洛伦佐有意复兴古希腊文化，除了圣马可学院外，他还成立“柏拉图学院”，算是当时一所闻名的大学，聘请许多知名的学者，如费钦诺[1]、兰丁诺[2]、波里齐亚诺、米兰多拉等[3]。学者们每周定时到柏拉图学院的图书馆，举行有关哲学和诗歌的研讨会，有时也会针对当时的社会现象发表意见，提供洛伦佐当施政的参考。

洛伦佐让米开朗基罗参加学者们的研讨会，一个十五六岁的孩子在这样的场合有些奇怪，学者们滔滔不绝地谈论，其中还夹杂希腊文和拉丁文，米开朗基罗大多听不懂，他深深感觉到自己知识的不足。洛伦佐向大家介绍米开朗基罗，说米开朗基罗的艺术天分很高，学习很努力，他想把米开朗基罗培养成雕塑大师。学者们在休息时

1 费钦诺是柏拉图主义者，曾帮助梅迪奇家族建立柏拉图学院。

2 兰丁诺是洛伦佐·梅迪奇父亲的老师，也是研究但丁《神曲》的权威。

3 米兰多拉是语言天才，精通二十二种语言。

间陆续过来和米开朗基罗打招呼，有的问他看些什么书，有的建议他该看些什么书。

米开朗基罗坦率地回答学者们的问题，并表示自己不会希腊文和拉丁文。大学者波里齐亚诺说：“我来教你，只要你肯努力，我保证你一年后不但可以阅读希腊文和拉丁文，还可以写得一手好诗。”研讨会结束后，米开朗基罗的心情很惶恐，听了学者们的话，知道要学的很多，他不知道自己是不是有时间、有能力去学？

他带着疑惑去问白托多。白托多笑笑说：“孩子，你年轻又聪明，当然学得会，学问不是天生的，你有这么好的老师，一定学得更多更快！”

听了白托多的话，米开朗基罗才放下心，以抖擞的精神，准备迎向新的学习，他成了柏拉图学院的“小”学生。

刚开始，米开朗基罗碰到不少困难，尤其是写诗，有的诗还讲究格律，作完后朗诵看看，一点都不像诗，他好灰心，产生了退缩的心理。有一次，他对学者们说：“我只想当个雕刻家，为什么要学作诗？”

波里齐亚诺回答：“要做一个技巧精良的雕刻匠，的确不需要学作诗；但是如果你想要成为一位伟大的艺术家，让你的作品有更感人的内涵，你要先成为一个诗人。”

米兰多拉接着补充说：“像作十四行诗，要懂得它的格律，就像你在雕刻一块大理石之前，会先观察这块大理石的纹路，也会先把你要雕刻的东西做一番设计。当你在学十四行诗严谨的格律时，其实就是在训练你的逻辑思考和构思的能力。”

“哦——”米开朗基罗好像懂了，又没有完全懂。老师们教他从朗读诗歌开始，他们建议他多读但丁、彼得拉克、贺拉斯、弗吉尔等人的诗，这些人的诗是用一般人使用的语言写的，比较容易懂。

米开朗基罗拿出他对雕刻的热情劲儿，抱着诗集猛读。朗诵多了，他不但爱上诗的韵律感，也渐渐了解诗人所表达的意思。其中他最喜欢但丁的《神曲》和彼得拉克的十四行诗[1]。他像是个苦吟者，没事就抱着诗集读，还常常为此熬夜，不久就能背诵很多诗篇。

波里齐亚诺是当代有名的诗人和哲学家，他很欣赏米开朗基罗，常对别人说：“这孩子有一种特别的天赋，他以后的成就恐怕会超过我们这些人。”他比米开朗基罗大二十岁，却不会倚老卖老，反而常邀请米开朗基罗到他家作客。米开朗基罗和他成为忘年之交。他顾虑到米开朗基罗年纪轻，而且没有受多少学校教育，他在讲述哲学思想的时候，尽量用浅显易懂的方式引导，直到米开朗基罗彻底了解为止。这时候的米开朗基罗像一块海绵，拚命吸收养分，深厚的思想就这样日积月累，当他举起榔头和凿子在雕刻时，把思想灌注到作品中，使他的作品充满无形的力量。

这期间米开朗基罗很努力地尝试大理石雕刻，现在留存他最

1 彼得拉克，生于1304年7月20日的佛罗伦萨，鼓吹古典文化，提倡人文主义，被视为欧洲人文主义之父。他的诗文清新、热情、富启发性。以拉丁语写叙事诗，被誉为桂冠诗人。他的十四行诗（Sonnet）内容总爱歌颂情人太阳般的明眸、珊瑚似的红唇、雪白肌肤、金丝秀发、玫瑰样的双颊……这种十四行诗曾经风行于当时的社会，直到莎士比亚的时代依然如此。

早的作品是《梯边圣母》，创作时间应该在1491年，这一年他才十六岁。这件作品不大，圣母抱着基督占据大部分，一旁阶梯上有几个小天使。阶梯和天使的雕刻线条显得有些粗陋，表现出新手的生涩，但值得一提的是，圣母的脸部表情很天真、纯洁，也许他在雕刻圣母时，想到他母亲那张美丽、慈祥的脸。

米开朗基罗早期的雕刻，还有一件名为《半人马之战》的作品，作品的主题是战争。话说有一天，波里齐亚诺告诉米开朗基罗："我刚刚翻译完一本奥维德写的《变形记》，里面有个跟半人马有关的故事，对于半人马和铁萨里人战斗的场面，描述得很精彩。我一边翻译，一边想象你把它雕刻出来的画面，你要不要试试看？"

米开朗基罗很高兴波里齐亚诺对他的看重，但心里面却很惶恐，不知道自己能不能做好。波里齐亚诺看他犹豫不决，就说："你先看看故事吧，我相信你有能力雕出来。"米开朗基罗接过书，答应波里齐亚诺看了书之后，会好好构思。

这本《变形记》很吸引米开朗基罗，但是战争场面很多，他不可能全部都表现出来，而且里面出现的武器种类很多，恐怕也不容易雕出来。

最后他采用裸体来表现，那些裸体的战士们手里拿着石头当武器，肢体扭曲纠结，表现出战士们强健的体魄和战争的激烈。米开朗基罗一直觉得人体是最美的，用艺术来呈现这种美是非常自然的事，为什么画里或雕刻作品中的人物一定要穿衣服呢？

当他把《半人马之战》拿给洛伦佐看时，很担心洛伦佐不满意，没想到洛伦佐却说：“米开朗基罗，你这件作品太棒了，你把人们在战斗中的痛苦都表现了出来，这是一件很有力量的作品，我对你没有看走眼。”

米开朗基罗受到赞赏，信心大增，可惜洛伦佐是在病床上讲这一席话的。米开朗基罗看看洛伦佐，很惊讶不过短短几年，那个风度翩翩、神采奕奕的执政官，怎么变成一个衰老的病人？事实上他的雕刻老师白托多也老了，米开朗基罗虽然还很年轻，却从周遭这些长者身上看到时间的无情。他思考着：人的肉体会衰老，什么东西才是永恒的呢？

雕刻《半人马之战》这件作品的时期，佛罗伦萨的政治处于不安的气氛，有一个叫作萨伏那洛拉的哲学家，是一个多米尼克教士，也有人称他是一个预言家，他能言善道，常在佛罗伦萨公开演讲，内容相当偏激，有许多是对梅迪奇家族的批评，他甚至预言梅迪奇家族将要败亡。萨伏那洛拉主张回归自然朴素，生活上要节俭，他说梅迪奇家族是独裁统治，佛罗伦萨全体的市民应该起来推翻他们，由市民通过选举产生共和政府。他的主张很快获得许多市民的认同，越来越多的人受他影响。

梅迪奇家族的祖先原本是农民，后来经营药材买卖赚了些钱。接着，他们以丰厚的资产为基础开办银行，业务日渐拓展，成为欧洲最大的银行家。他们除了金融业务以外，还帮忙罗马教会管理财政，和政治有了接触。

1434 年，洛伦佐的祖父科西莫·梅迪奇成为佛罗伦萨公国的执

政官，从此，梅迪奇家族有四代人统治佛罗伦萨，总共约六十年时间。这期间，正好碰上文艺复兴运动，蓬勃发展的艺术需要大量的资金投入，梅迪奇家族的人热爱艺术作品，他们收藏、订制大批艺术作品，培植艺术家，更加刺激艺术的发展，对文艺复兴运动很有贡献。

不过，权力有时会带来腐化，梅迪奇家族的生活越来越豪奢，第三代洛伦佐·梅迪奇为了打造古希腊的学术和艺术殿堂，变卖不少土地，以致负债累累；为了填补亏空的财务状况，他下令独占明矾矿的开采等，引起不少民怨。梅迪奇家族的生活豪华奢侈，这就成为萨伏那洛拉攻击的重点。萨伏那洛拉对信众说洛伦佐是暴君，人民应该起来反抗，建立一个新政府，这个新政府应该由他来领导。

洛伦佐的生活虽然豪奢，但他对文化艺术非常重视，延聘不少知名学者、艺术家到柏拉图学院和圣马可学院，也刻意栽培很多新秀。可是他的大儿子皮埃罗·德·梅迪奇却是个自大无礼的纨绔子弟，他认为艺术家靠梅迪奇家族提供吃住等一切需要，就要听主人的命令。他听白托多称赞米开朗基罗的雕刻很好，就“命令”米开朗基罗为他的妻子雕一座肖像。米开朗基罗说自己不擅长雕肖像，怕把夫人的肖像雕坏了，皮埃罗就把米开朗基罗叫来骂一顿。米开朗基罗气得想离开府邸，经过洛伦佐极力挽留才继续住在府邸。

皮埃罗对他父亲敬重的人都敢如此，何况是一般人！当时有许多平民老百姓生活过得很不好，他们觉得要有好的统治者才能让他们脱离贫穷，因此萨伏那洛拉的演讲能打动人心，信服他的人越来越多。佛罗伦萨梅迪奇家族的势力越来越弱,很不巧的是洛伦佐的身体也变差了。

米开朗基罗也听过萨伏那洛拉的演讲,萨伏那洛拉有些话很能打动他的心,但是他认识的洛伦佐先生和萨伏那洛拉口中说的暴君不一样,有时他心中也会有一些疑惑。他才是个十六七岁的孩子,对复杂的社会状况并不能看清楚,也很难了解透彻。小时候,他生活在山上奶娘家,看到许多平民的生活很困苦,靠着劳力换来最基本的需要,所以他听了萨伏那洛拉的演说,吸收到不同的观点。不过他不想投入那种狂热的洪流,他用艺术来表现他的信念。

洛伦佐对学术、艺术的注重很令米开朗基罗感动,当然他也看到这个家族豪奢的一面,但是他知道自己要什么,所以他不受官邸里繁华的风气影响,波里齐亚诺犀利的哲学思想灌溉着他。波里齐亚诺特别提到,在公元前5世纪左右,有一位伟大的哲学家苏格拉底,他为了宣扬真理入狱,他的学生买通狱卒要让他逃亡,他拒绝了,从容不迫的喝下毒药而亡。米开朗基罗希望自己一生也能追随真理,只是他还不知道真理在何方。

这段时期当中,除了创作外,米开朗基罗经常参加学者和诗人们的辩论会,这对他思想的熏陶起了很大作用,让他日后在诗的创作上,文字风格优雅且内容富有哲理。一年多的学习,他的思想成熟很多,印证了洛伦佐的"慧眼识英雄"。但是好景不长,由于梅迪奇家族的没落,米开朗基罗的人生再一次碰到荆棘。

和两位长者说再见

萨伏那洛拉的演说很能鼓动佛罗伦萨的市民，他批评梅迪奇家族的奢侈风气，是背离真正的基督精神，他要大家遵循简朴的生活，把那些奢侈的财物毁掉。因此人们纷纷把他们认定是奢侈的东西，包括珍贵的艺术品都拿出来焚烧。整个佛罗伦萨到处有焚烧艺术品的火场，那些人情绪很激动，弄得人心惶惶。

有一天，米开朗基罗去探望白托多，发现白托多病了，而且病得不轻。米开朗基罗赶紧请医生来诊疗，事后医生对米开朗基罗摇摇头说："白托多先生的病不乐观，他应该是受到风寒，加上现在外面情况乱糟糟的，老人家心情不好，我看恐怕不容易恢复了。"几天后，白托多就撒手人寰，临终前他对米开朗基罗说："很高兴你能继承我的衣钵，你要好好走下去，我相信你会成为一位伟大的艺术家。"米开朗基罗握着老师的手，说："白托多先生，谢谢您对我的教导，我不会忘记您的教诲。"白托多放心的阖上眼睛，米开朗基罗的眼泪忍不住流了下来。

从小喜欢在石头上敲敲打打的米开朗基罗,完全不懂雕刻的技巧,如果没有白托多的教导,他不可能学到那么多。白托多是一位最严厉的老师,也是一位最慈祥的老师。当他看出米开朗基罗的艺术天分时,他用严苛的教学方法,锻炼米开朗基罗的技巧和毅力;等到米开朗基罗达到标准时,他就像慈祥的父亲,一步一步引领米开朗基罗走入艺术的殿堂。米开朗基罗知道良师难遇,而自己竟然遇到了。他也明白,报答恩师的最好途径,就是努力努力再努力!

就在米开朗基罗化悲伤为力量的时候,洛伦佐的身体一天比一天差,不得不离开府邸到山上的别墅去专心疗养,府邸里顿时让人感觉更加冷清,和当时米开朗基罗刚进来时的热闹,形成强烈对比。

洛伦佐特别请学者波里齐亚诺和米兰多拉一起去,让他们念书给他听。米开朗基罗以为洛伦佐有个专门疗养的地方,又有学者们陪伴,身体会好起来。他在府邸更加努力创作,希望等洛伦佐先生病好回到府邸时,能看到更多好作品。

没想到大约一个礼拜之后,传来洛伦佐先生病危的消息,米开朗基罗放下手边的工作,焦急地赶到别墅。仆人带他前往洛伦佐的卧房,四周一片静寂,他的心头掠过一阵不祥的感觉。卧房内,洛伦佐的家人和波里齐亚诺肃穆地站着,米兰多拉小声地念着一本古希腊的典籍,洛伦佐虚弱地斜躺着。看到米开朗基罗进来,洛伦佐勉强挤出一个微笑。波里齐亚诺示意米开朗基罗靠近一点,对洛伦佐

说:“洛伦佐先生,您钟爱的米开朗基罗来看您了。”然后他又对米开朗基罗说:“米开朗基罗,你会在艺术的路上好好地走,不会辜负洛伦佐先生栽培你的苦心吧!”

“当然!洛伦佐先生,我不会辜负您对我的期望,我会更加努力去创作。”米开朗基罗小声却很坚定地说。

洛伦佐嘴角仿佛浮起一个安慰的笑容。当天晚上,他离开人世,到另一个世界去了。这一年,米开朗基罗十七岁,他失去了生命中两个提携他、教导他的长者。

参加完洛伦佐隆重的丧礼之后,米开朗基罗很慎重地考虑自己该何去何从。洛伦佐的大儿子皮埃罗成为佛罗伦萨的执政官,他不像他父亲那么尊重住在府邸的学者和艺术家们,尤其是米开朗基罗拒绝为他的夫人雕肖像,让他很不高兴,因此,米开朗基罗决定先回家住一段时间。

离开府邸前,米开朗基罗去向波里齐亚诺辞行。这一对忘年之交,曾有许多时间在一起探讨哲学和诗歌,共同度过许多充实的时光。洛伦佐引米开朗基罗进入圣马可学院,给他优厚的学习环境;白托多教导他雕刻方面的学问和技巧;波里齐亚诺带他走进学术的殿堂,比他在学校学的更多更有用。他生命中重要的恩人、良师,就剩下波里齐亚诺,他很舍不得离开他。

波里齐亚诺对他说:“孩子,皮埃罗当家,我不敢勉强你留下来,我只希望你记得你在柏拉图学院学到的道理,能够帮助你走上往后的路。现在外面的情况很乱,别忘记柏拉图学院教你独立思考的精神,任何事情都要用头脑想一想,不要跟着别人瞎起哄!”

米开朗基罗给波里齐亚诺一个依依不舍的拥抱,刻意摆出笑容回答:“波里齐亚诺先生,您放心,我会把您对我的教导记在心里,我不会莽莽撞撞,跟着别人在街头闹事。”

“那就好,洛伦佐先生总算没有白疼你一场,有时间你还是可以回来看我,我们还有很多学问可以讨论呢!”

“好,有机会我一定回来请教您,请您保重!”米开朗基罗说完,慢慢转身离去。这时眼角的泪才慢慢滑下脸颊。

经过这一番生离死别,米开朗基罗一下子成长很多,他知道自己要面对更多的挑战。

回到家中的米开朗基罗，有点不适应家中的生活。更让他难过的是，父亲对他离开梅迪奇家族的府邸很不谅解。他受到洛伦佐的赏识，能够在佛罗伦萨的执政官府邸住下来，洛多维科觉得有些虚荣，心想也许这是条不错的路，一旦成为艺术大师，就会拥有名声和财富。没想到他只是不欣赏皮埃罗·德·梅迪奇的作风，就自己卷铺盖回家。洛多维科对米开朗基罗讲话没有好口气，一切好像回到小时候，家里没有人理解他，没有人可以和他谈学术、谈艺术。

米开朗基罗心情不好，情绪也不稳定，常常和家人起冲突。还好他有艺术的狂热，把大部分的时间和精力用在雕刻上，只是家里的创作条件没有圣马可学院好。

米开朗基罗一下子失去两位提携他的人，心中一直感到很深的失落，那种失落感像一个大黑洞，他往下看，看不到底。他觉得应该做点什么事，好填补那个黑洞。他想到了，他要雕一尊赫拉克勒斯

像[1]来纪念他们。洛伦佐生前常提到这个大力士，说他是希腊神话里的一个巨人，凭着无比的勇气和力量，完成了十二项艰巨的任务。

正要着手时，米开朗基罗发现自己对人体结构的了解有限，他只好先搁下这个工作，专心去研究人体的结构。

米开朗基罗常往圣斯皮里托教会的图书馆跑，那里有一些人物画册，他喜欢雕刻人像，但是画册里面的人物不够立体，对他的创作帮助不大。他需要确实地知道骨骼、肌肉、关节的结构，这样才能雕出有生命的人像。圣斯皮里托教会有附设医院，常会有病重的穷人或流浪汉被送来，若没办法医好就会放在停尸间。米开朗基罗认识教会的院长比奇利尼神父，他很希望神父能让他解剖尸体，可是当时的法令规定只有外科医生才可以如此做，神父如果答应，被知道了可能会被革去神职。

有一天，米开朗基罗从图书馆出来，看到有人抬着一具尸体往停尸间去。他硬着头皮去找神父，结结巴巴地说出自己的意思，神父想了一下，摇摇头，然后从抽屉里取出一串钥匙，告诉他："图书室里面有一本很古老的人像画，你可以借回家看。"米开朗基罗有点失望，不过，他还是很有礼貌地感谢院长，并拿走那一串钥匙。

当米开朗基罗打开图书室的门时，恍然大悟，他猜院长其实并没有拒绝他的要求，因为图书室白天都开放，他不需要钥匙也能进入，

1 赫拉克勒斯（Heracles）是希腊神话中最伟大的英雄。有关他英勇无畏、敢于斗争的神话故事历来都是文艺家们乐于表现的主题。

而这一大串钥匙里面包括停尸间的钥匙。他的心脏快跳出来了，立刻快步走回家准备工具。

当天晚上，米开朗基罗下了很大的决心，他带一根蜡烛、一把刀子，悄悄地潜入医院的停尸间。夜晚的停尸间更令人毛骨悚然，可是为能够了解人体的结构，米开朗基罗鼓起勇气，把盖在尸体上的布掀开。"我的妈呀!"米开朗基罗心里暗叫，眼前是一具苍白的尸体，他很想把布重新盖上，逃离那个地方。可是另外有一个声音告诉他："机会难得，赶快解剖，好弄清楚人体的结构。"

米开朗基罗听从后面这个声音，他的手有点颤抖，可是他用手在胸前画个十字架，就开始动手了。一刀下去，他先观察表皮下面肌肉的组织，捏捏皮肤，试试还有多少弹性？从来没有解剖经验的他，依自己的需要一边解剖，一边观察，还一边素描。时间似乎跟他作对，不久，蜡烛快烧完，天也快亮了，修士们就要起来做晨课，他怕被发现。他收拾一下，并在自己身上洒些酒精，以掩盖尸臭味，就悄悄锁上门回家去。

接连好几天夜里，他都到停尸间去，有时候没有尸体可以解剖。如果有，他就很努力的研究。为了盖掉尸臭味，他总是浑身涂满酒精，他的继母以为他去喝酒，觉得他太不长进，就跟他父亲告状，他父亲气得常斥骂他。这种事又不能解释清楚，为了艺术，他再度咬紧牙关忍受。令他安慰的是医院里有院长暗中打点，都没有被发现，让他的研究可以更彻底。一段时间后，他对人体的里里外外都摸熟了，就把

钥匙还给比奇利尼院长，并且问院长：“我可以为教会做点什么事吗？”

院长笑笑说：“我想教堂中央的圣坛上，需要一个木雕的《十字架上的基督》，你可以帮忙吗？”

米开朗基罗没有做过木雕，但是为了感谢院长成全他解剖尸体，他接下这个挑战。木雕不像石雕有“当当锵锵”那么响亮的声音，木头的质地也跟石头不一样，刚开始米开朗基罗没有抓到窍门，雕得不太顺利，后来他仔细想想白托多先生以前教过的各种技巧，融会贯通之后，他越雕越顺手。再说经过他自己学习的解剖学，把人体的结构搞得清清楚楚，一尊《十字架上的基督》木雕完成了。那是一个裸体的基督，有着一张宁静祥和的脸，象征他心甘情愿为人们受苦，但是基督膝盖的方向却和脸部形成一个扭动的状态，显示他的肉体正受着极大的痛苦，而他以心灵的力量战胜痛苦。这是古典时期希腊雕刻表现美的真谛，是米开朗基罗要在雕刻中表现的心灵语言。

米开朗基罗把木雕献给比奇利尼院长，院长高兴地说：“你雕的基督和我心里想的一样。”米开朗基罗偷用教会医院的尸体进行解剖这件事，有了完美的成果。

米开朗基罗正准备雕刻《赫拉克勒斯》，皮埃罗竟然派人来请他回府邸去住。皮埃罗继承洛伦佐成为佛罗伦萨新的执政者，并没有像他父亲那样礼遇学者和艺术家们，他自大傲慢，生活奢靡，但当他渐渐感觉到萨伏那洛拉已经挑起市民对梅迪奇家族的不满时，他只好对外宣称，凡是他父亲敬重的人，他也要加以敬重。

米开朗基罗原本不想回去，不过他在那里认识许多良师，度过许多美好的日子，而他的忘年之交波里齐亚诺还在那里；再三考虑之后，他决定回去，并且要求住在原来的房子里。皮埃罗答应他的要求，于是米开朗基罗就搬回府邸。

皮埃罗虽然把米开朗基罗请了回来，却仍旧不太重视他，只把他当成对宾客炫耀的样板，对于他的雕刻一点也不关心。还好米开朗基罗并不在乎，他先去拜访波里齐亚诺，他忘不了老师当年一谈到哲学或文学就滔滔不绝的模样，渊博的学识让老师看起来神采飞

扬。可是当他再次看到波里齐亚诺，心里大大吃惊，脸上却不敢表现出来，他发现波里齐亚诺似乎衰老许多。

整个柏拉图学院也不再像以前那么有生气，有些学者离开了，有些衰老了。米开朗基罗深深体会到洛伦佐是圣马可学院和柏拉图学院的灵魂人物，他一过世，一切也跟着改变。萨伏那洛拉的煽情演说，影响了不少佛罗伦萨居民的观念，波里齐亚诺感叹时局变化太快，梅迪奇家族的声望越来越低落，不过他勉励米开朗基罗，既然有机会回来，就好好创作。

米开朗基罗说："波里齐亚诺先生，我会的，雕刻是我生命中最重要的事。有时间我也会多来向您请教，请您多保重。"

米开朗基罗很专心的从事雕刻创作，大约一个多月的时间就把《赫拉克勒斯》雕好，据说那尊雕像雕得健美壮硕，脸部的神韵和洛伦佐很像，可惜皮埃罗并不是真的珍爱艺术作品，没有特别加以保存，后来梅迪奇家族没落，《赫拉克勒斯》也下落不明。

除了《赫拉克勒斯》，米开朗基罗把握府邸里丰富的资源，钻研雕刻，日子在"当当锵锵"的敲打声中流逝。这时候已是 1494 年的秋天，外面时局混乱，随处可见萨伏那洛拉的信众们在街头举行"篝火忏悔仪式"。所谓"篝火忏悔仪式"，就是他们把珍贵的艺术品都当成奢侈品，全部拿到熊熊大火里燃烧，化为灰烬，藉此表示忏悔。有些艺术家还把自己的作品丢到篝火里，并且承认自己是错的，米开朗基罗却认为他们的创作正是他们对世界的贡献，怎么会是错的呢？

有些暴民的情绪达到疯狂，扬言要推翻梅迪奇家族。就在这个时候，波里齐亚诺突然病亡。波里齐亚诺的死，让米开朗基罗很悲伤。祸不单行的是法国的查理八世正带领一支军队挺进意大利，而萨伏那洛拉认为如果把法国军队迎进来，正好可以借他们的力量赶走梅迪奇家族。在这一年10月的时候，府邸里的人大多搬走了，梅迪奇家的人则躲到山上的小别墅。街上谣传市镇委员会决定流放梅迪奇家族，并且重金悬赏皮埃罗的人头。

当时意大利并不是一个统一的国家，而是众多小国分立的情况，这些小国之间都像仇敌一样互相战斗与兼并，希望自己的领土更大，国家的声威更高。即使是教皇也跟那些统治者一样，为了保有地位，荣耀、尊严和名分都可以出卖。可以说到处都有阴谋和叛乱在进行着，整个意大利是一团糟。

佛罗伦萨的情势已经很危急了，米开朗基罗犹豫着要不要离开，没多久，街头激动的人群拥向府邸，米开朗基罗第一个想到的就是保护那些艺术品。当群众开始破坏花园的雕像时，米开朗基罗跑到洛伦佐的书房，把一些艺术品藏进运送东西的升降梯里。之后，他从后门溜走，由于他跟梅迪奇家族的关系很深，他怕连累家人而不敢回家。看着满城乱糟糟的景象，他想自己只有逃亡一途了。仓促间他什么也没带，就黯然离开家乡，黑暗中，他准备攀越亚平宁山。

第二天，疲惫的米开朗基罗越过亚平宁山，先到威尼斯，后来又到波隆那城。他在一个广场上歇歇腿，不料来了几个士兵，问他：“你是从外地来的吗?"

"我是从佛罗伦萨来的。"米开朗基罗回答。

"那请你把大拇指伸出来,看看你有没有红蜡印?"

米开朗基罗手上什么也没有。他说:"我刚来到这里,不懂什么红蜡印。"

"先生,你没有红蜡印,我们按规定要带你到海关署去,走吧!"

米开朗基罗莫名其妙,只得跟着走。到了海关署,那里的官员才向他解释说:"凡是刚到波隆那的外地人都必须登记,并且留下指印。现在请你交五十个波隆那币。"

米开朗基罗身上根本没有钱,海关署的人说:"那你必须关五十天。"

米开朗基罗一听,不知道该怎么办,这时有个五十多岁的人走进来,问他:"你是米开朗基罗·波纳罗蒂吧!"

"是的,请问你是……"米开朗基罗觉得他有点面熟,就是忘了在哪里见过。

那个人说:"我叫弗朗西斯科·艾多弗兰地,我曾经到洛伦佐·梅迪奇先生家作客,在一次晚宴上看过你。洛伦佐先生还特别介绍你给大家认识,说你很有雕刻天分。"

"我记起来了,弗朗西斯科先生,你还跟我说波隆那有很多杰出的雕刻家。对不起,我一路赶来,晚上没睡好,一时没认出你。"

"没关系,我来跟这里的官员说说话。"弗朗西斯科跟官员说了

一些话，米开朗基罗就被释放了，他跟着弗朗西斯科回家。

弗朗西斯科是个退休的银行家，他的家族在波隆那很有势力，也是艺术的爱好者、支持者。弗朗西斯科对米开朗基罗很礼遇，也很欣赏他的才华，米开朗基罗住在他家，受到他和妻子热情的款待。他还引荐米开朗基罗给圣多明尼哥教堂，之后米开朗基罗接受圣多明尼哥教堂的委托，为他们的墓园雕刻三座雕像，分别是：《持烛台的天使》、《圣普罗库尔》和《圣哲罗姆》，这三座雕像现在都保存在圣多明尼哥教堂。

弗朗西斯科常带米开朗基罗参观波隆那的雕刻，让这个十九岁的青年增加不少见识。在波隆那的这段时期，他继续研读但丁、彼得拉克、薄伽丘等人的作品，每当他读这些作品的时候，都会想起在柏拉图学院的学术研讨会，那些学者们渊博的学问和流利的口才，留给他很深的印象，他尤其想念波里齐亚诺。

在雕刻方面，他很用心地研究雕刻家雅各布·德拉·奎尔查的作品，雅柯波属于“西耶那派”，作品风格比较雄伟、刚劲，还表现出强烈的戏剧性，这些特色影响米开朗基罗未来作品的表现颇为深远。

梅迪奇家族没落，皮埃罗逃亡到国外，市民通过选举产生新的共和政府，萨伏那洛拉成为新的执政者。过了一年左右，佛罗伦萨的局势比较平静，米开朗基罗很想回家乡，就向弗朗西斯科告辞，结束一年的逃亡期。

米开朗基罗还没逃到波隆那之前，梅迪奇家族有一对堂兄弟——劳伦佐和吉奥凡尼，他们曾经委托米开朗基罗雕刻一尊年轻的《施洗者约翰像》，但是那时候佛罗伦萨局势很乱，米开朗基罗没有答应他们的委托。现在情势改变，他接受了这项委托。经过选材、设计，他雕刻了一尊正要出发到旷野去布道的施洗者约翰，这件作品是以仿古希腊的雕刻手法制作，作品维妙维肖达到足以乱真的程度，令劳伦佐他们大为惊叹。

完成《施洗者约翰像》后，米开朗基罗买了一块大理石，同样雕刻成仿古希腊风格的作品，叫作《睡着的爱神》。他把爱神丘比特雕

得圆胖可爱，那只胖胖的右手枕在头下面，仿佛沉醉在甜蜜的梦中。完成后他拿给劳伦佐他们看，劳伦佐他们看了，觉得不输古代大师的作品，于是怂恿米开朗基罗把它埋到土中，过一阵子再挖出来，宣称那是一件出土的古董，看是不是可以瞒过收藏家的眼睛。

米开朗基罗还是个大孩子，很好奇这件作品在别人的眼中到底有多么"古味"，就听从他们的建议，埋在土里一阵子再挖出来，对别人说这是一件历史久远的古董。为了让作品像真的古董，他用一些技巧让作品看起来有时间磨损的痕迹，甚至敲掉了小丘比特的一只手。不过米开朗基罗不是喜欢作假的人，何况他对自己的作品有相当的信心，他对他们说："将来有机会还是要把真相告诉别人。"他们把作品拿到一个古董商那里去，过不了几天就卖掉了，而且卖了一个好价钱——大约三十个金币。

接着，米开朗基罗又忙于创作新的作品，把这件恶作剧的事给忘了。大约过了一年左右，有一个信差找上门，说他是罗马红衣主教里阿利奥的属下，奉里阿利奥的命令，请雕刻《睡着的爱神》的米开朗基罗到罗马去。

米开朗基罗这才想起来，古董商告诉他《睡着的爱神》被罗马人买去，原来最后落到红衣主教的手上，他以为主教要找他算帐，就跟那个信差说："真是非常抱歉，那是我和朋友想出来的恶作剧，我现在把三十个金币奉还，不必大老远跑一趟罗马吧！"

"米开朗基罗先生，主教是用两百个金币向一个古董收藏家买的哩!”

“哦,两百个金币,我一时拿不出这笔钱。”米开朗基罗没想到那个小爱神增值那么快,烦恼着如何赔偿那个红衣主教。

信差看米开朗基罗一副苦瓜脸,忙说:“米开朗基罗先生,主教不是要你还钱,他认为可以雕出这么像古董的人,一定是个了不起的艺术家,应该可以雕出更多好作品,所以他想请你到罗马去。”

听到这一席话,米开朗基罗放下一颗心来,认真考虑要不要到罗马去。米开朗基罗觉得目前留在佛罗伦萨,发挥的空间不大,不如去罗马碰碰运气,于是他决定接受红衣主教的邀请。行前,他去见劳伦佐,把这件事情告诉他,劳伦佐还写了一封信,请米开朗基罗带给主教。米开朗基罗没想到,当初一个开玩笑的念头,会让他有机会去罗马!

1496 年 7 月,米开朗基罗一到罗马,马上去谒见里阿利奥,里阿利奥很热情的接待他,带他去观看希腊、罗马时代的雕像。

第二天,里阿利奥问他:“昨天你所看到的雕像美不美?”

米开朗基罗回答:“主教,昨天您带我去观看的雕像,都是非常杰出的作品。”

里阿利奥听了很高兴,接着问:“你想不想也帮我制作一些那么美丽的雕像?”

米开朗基罗想了一下,回答:“主教,我创作的东西不一定能够像那些雕像那般美丽,但是我欢迎您来看我的作品,我已经买了一块

真人一般大小的大理石，明天我就要开始工作了。”受到里阿利奥的赏识，米开朗基罗很欣慰，不过他有自己创作的艺术风格，不以模仿古人为满足。

从这段对话可以看出，里阿利奥欣赏的是古希腊、罗马时代雕像的风格，而米开朗基罗喜欢依自己的理念雕刻，被里阿利奥赏识的《睡着的爱神》，是他一时兴起的仿古作品，他不可能走这种“快捷方式”，为了讨好里阿利奥而不断“拷贝”古人的作品。可以想见，当米开朗基罗把自己呕心沥血的创新作品呈现在里阿利奥眼前时，里阿利奥一定相当失望。因此里阿利奥把米开朗基罗从佛罗伦萨请来罗马，却反而不重视他，也没有向他预订任何雕像。

主教似乎忘了米开朗基罗的存在，不再提起雕刻的事。米开朗基罗还不明就里，在写给父亲的信里头，说对这些重要的人物要有耐心，不能毛躁地催逼他们，他以为主教只是太忙。米开朗基罗并没有让自己闲着，早上的时间，他大多用来画模特儿的素描，画主教身边的侍卫们、印刷工人、手套工人、书商等各行各业的人。可是他最想要做的事还是雕刻！

有一天，米开朗基罗碰到一个叫朱利安诺的建筑师，是劳伦佐的朋友，两个人谈得很投机。米开朗基罗把自己的烦恼告诉朱利安诺，朱利安诺对他说：“里阿利奥对雕刻的品味并不很高，另一个红衣主教罗维尔比较懂，等他回来，我再把你推荐给他。你现在闲着也是闲着，不如跟我去看看罗马的建筑，到了罗马而不看那些建筑，等于是白来了。”于是米开朗基罗跟着朱利安诺到处看建筑，朱利安诺很热心地为他解说，让他对建筑也生出一些兴趣，并学到不少相关的知识。

只是，在罗马的日子，米开朗基罗并不好过。一年多来，家中发生了很多事，首先是他的继母去世，他父亲非常伤心，米开朗基罗和继母相处的时间不多，但是他看得出父亲很依赖继母。

接着家里的其他人好像都有问题，哥哥李奥纳多原本当一个修士，却因他是多米尼克教士而被赶出来，连修士服也被迫脱掉。他到罗马来找米开朗基罗，说他想回佛罗伦萨，米开朗基罗就给了他一块金币当路费。

不久，大弟波那罗托也来投靠米开朗基罗，当时米开朗基罗住在主教家里，不方便让弟弟同住，就为波那罗托在外面租个房子，负担弟弟的生活所需。同时，他父亲为了医治继母的病而负债，他父亲不肯卖掉田产还债，和一个布商之间有金钱纠纷，如果没有解决，可能会有牢狱之灾。

当年十三岁的米开朗基罗想走艺术的路，被父亲和伯父严厉地斥责，他们认为他从事这种低贱的工作，有辱他们贵族家世的门风。谁能料到才过十年，家里的人都得靠他这份“低贱”的工作来资助生活所需。

里阿利奥不欣赏米开朗基罗那些创新的作品，也故意忽略他的存在，更没有付工资给他。为了父亲的债务，他找里阿利奥商量，里

阿利奥只愿以一块大理石支付他工资。这让米开朗基罗思考要不要继续待在罗马，还好有人介绍罗马一个银行家雅各布波·迦罗给他。雅各布波很喜欢艺术品，米开朗基罗先拿一尊小爱神去给雅各布波看，雅各布波马上向他购买，并向他预订一座酒神像，米开朗基罗就搬到雅各布波家，卯足了劲去雕刻酒神像。

米开朗基罗在罗马的第三年(1498年)，家乡佛罗伦萨传来一件大消息，那就是萨伏那洛拉遭受火刑。萨伏那洛拉成为佛罗伦萨的执政者，继续推行自己的主张，他的某些主张曾经很受民众的欢迎，尤其是贫穷的人民，希望赶走梅迪奇家族之后，能有好日子过，可是人民的生活仍然毫无改善，让人民对他非常反感；而他主张的禁欲主义，禁止一切娱乐，连婚姻都不受到鼓励与祝福，实在有违人性，最后他成为人们嘲讽的对象。他甚至对教皇发动攻击，被教皇逐出教会，也失去执政者的地位。但是他不屈服，继续用言论攻击教皇，最后教皇下令逮捕这个“徒具反抗精神，却不让人们安宁”的教士，火刑的地点就在梅迪奇官邸前的塞诺里亚广场。

米开朗基罗听过萨伏那洛拉的演说，也受到一些启发，他认为对现实具有批判的想法是不错，但批判过了头，把人类所有的努力都否定也不对。米开朗基罗长大了，开始有自己的人生观。萨伏那洛拉否定了艺术对人类的作用，鼓动人们把艺术品丢进熊熊大火中烧毁，结果自己也在熊熊大火之中失去性命。

酒神巴克斯像和《圣殇》

酒神“巴克斯”是希腊神话里的人物，他发现葡萄的栽培技术和从中榨取宝贵果汁的方法，于是漫游各地，沿途教人种植葡萄。他头上戴着葡萄藤蔓环绕的头冠，手中擎着盛满酒的酒杯，有酩酊的醉态，身边陪伴着半人半羊的小牧神。

米开朗基罗雕刻的《巴克斯》比真人还高，头上戴着葡萄串，右手端起酒杯，左手下垂，拿一串鲜嫩欲滴的葡萄，小牧神躲在他背后，调皮的偷摘葡萄吃。有的评论家说这尊塑像充分表现出酒神的“醉”与“美”，酒神因酒醉而有一种动态感，小牧神坐在木桩上取得平衡。酒神巴克斯本身被塑造得年轻健美，富于青春活力。

委托者雅各布波显然相当满意，他邀请另一位红衣主教格罗斯拉耶来看，格罗斯拉耶大大赞叹了一番，并要求米开朗基罗也帮他雕一座大雕像，准备奉献给圣彼得大教堂。

梵蒂冈的圣彼得大教堂是世界上最古老、最神圣的教堂，作品能

放在那里是一种殊荣,米开朗基罗开心地答应。格罗斯拉耶问米开朗基罗想雕什么?米开朗基罗说:“既然是放在这么神圣的大教堂,我想雕一座《圣殇》,您认为如何?”

这位主教拍个掌说:“你怎么知道我很喜欢《圣经》中的这一段?你赶快去选石料,我年纪大了,希望有生之年能看到它完成。”

过了几天,米开朗基罗和格罗斯拉耶签了契约,双方约定一年完工,价格是四百五十杜卡特,这是一笔不错的酬劳,可以解决米开朗基罗家人的经济问题。公证人雅各布波还在后面加注说:“我雅各布波·迦罗保证,这件作品将胜过现在罗马的任何大理石雕像,为当代所有大师所望尘莫及。”这一条加注意义非凡,因为这是米开朗基罗第一次被称为“大师”,这一年米开朗基罗才二十三岁呢!

酝酿了一段时间后,米开朗基罗开始雕刻《圣殇》,这个故事出自《圣经》,描述基督被人从十字架上卸下来后,圣母玛利亚抱起基督的尸体时,表现出的悲恸神情。

委托人格罗斯拉耶常常来看米开朗基罗的工作进度,当雕像有个雏形时,格罗斯拉耶看到年轻的圣母,问他:“孩子,你为什么把圣母雕刻得这么年轻,看起来甚至比基督都年轻?”基督受难时是三十三岁,所以当时的圣母玛利亚应该有五十一岁。

米开朗基罗以神圣的语调回答:“主教,我认为圣母是不会变老的,因为她是那么纯洁、善良,上帝会让她永远保持青春。”也许米开朗基罗的母亲去世时还很年轻,在雕刻圣母时,他脑中不自觉地浮起母亲的形象。他心想，在人们的心目中，母亲是永远年轻的吧！

格罗斯拉耶觉得他说得有道理，高高兴兴地期待着。

由于格罗斯拉耶希望有生之年看到这座雕像安放到教堂，米开朗基罗为了成全老主教的心愿，日夜赶工。可是夜间的光线不好，不方便工作，他就想办法改善照明，结果他发明了一顶特殊的帽子。他用一片厚纸板，做成一顶有帽檐的宽边帽，在帽子外面加上一个铁丝圈，铁丝圈的大小正好可以摆一支蜡烛。这样一来，每当他在夜间工作，光线就可以照在他要雕刻的地方。不过，蜡烛燃烧后的蜡油会漫过帽檐，流到他的额头，又热又疼，凝固后还会黏在额头上。这些苦米开朗基罗竟然都不在乎，因为工作的狂热胜过一切。

可惜即使米开朗基罗日夜赶工，格罗斯拉耶还是等不及完成的那一天，就蒙神宠召，离开人世。雅各布波看了雕像，感动地说："我想你没有辜负主教的嘱托。"

当时格罗斯拉耶说他取得教皇同意，要订一座雕像放在圣彼得大教堂，可是他过世后没人管这件事，雅各布波主张他们自己想办法把雕像运过去，嵌在格罗斯拉耶说过的壁龛里。

当雕像放进壁龛后，引起颇大的震撼，因为他没有依循常理，让圣母看起来衰老、憔悴，相反的，米开朗基罗雕刻出来的圣母非常年轻，面容美丽而安详，只是脸上笼罩着一股深沉的哀愁。圣母端坐着，把遍体鳞伤的基督放在大腿上，她静静地看着基督——这个为解救世人而被钉上十字架的儿子，慈母的心既骄傲又哀伤。如果说

《巴克斯》表现了“醉”与“美”，那么《圣殇》就表现了“悲”与“美”。这两座雕像可以说是米开朗基罗迈入成熟期的佳作。

罗马市民大多不知道这座雕像是谁雕的。一天，米开朗基罗在教堂听到一个人说：“这座雕像太美了，不知道是哪一位大师雕刻的？”

有一个人很有把握地说：“想也知道，一定是我们罗马城里的雕刻大师格波的杰作。”

米开朗基罗一听很不开心，当晚他戴着他的蜡烛帽，特别到教堂去，在圣母玛利亚的衣带上，刻下：

佛罗伦萨米开朗基罗·波纳罗蒂作

罗马市民这才知道，这座伟大雕刻的创作者，是佛罗伦萨来的米开朗基罗。米开朗基罗因此声名大噪，而这也成为他唯一署名的作品。

这件作品感动了很多人，有一位诗人写了一首诗来歌颂它，诗是这样写的：

美和善呵
哀伤与怜悯
复活于死去的云石

而圣母啊

是独一无二的妻

　　独一无二的女

　　独一无二的母亲

不要哭泣呵

不要如许嚎啕地哭泣

莫让时光抛却吾主

自死亡中醒转

不朽的巨人——大卫

过了一年多，也就是1501年春天，米开朗基罗的故乡佛罗伦萨传来一个消息，说市政委员会正要举办一个雕像比赛，看谁能把一块巨大的石头，雕刻成一座伟大的雕像。米开朗基罗决定回去参加这项比赛，于是他把身边的事情处理完，就回故乡去了。

阿尔卑斯山脉的卡拉拉山麓所生产的石材非常优良，这块被弃置的石头就是从那里采来的，据说是被一个叫杜克西奥的艺术家雕坏了。这一次比赛可以想见有许多好手来参加，大家先就石材的大概模样提出设计，再由当局加以甄选。甄选结果由米开朗基罗拔得头筹。因为他的设计创新而大胆，把那块大理石的缺点化为优点。

米开朗基罗选了《圣经》里耶西的小儿子大卫当雕像的主角。《圣经》中记载大卫年少时面色红润、双目清秀、容貌俊美，在旷野看守羊群，能够"力搏豺狼、驱御狮熊"。

当时以色列人和非利士人交战。非利士人营中有一员大将叫歌利亚，身高七尺，虎背熊腰，头戴铜盔、身穿铠甲、背负铜戟，腿上绑着铜护膝，当众叫阵单挑，以色列人心存惧怕，不敢出来迎战。

此时，大卫要求出去迎战，他没有戴盔披甲，也没有兵器刀枪，只穿着平日的牧羊服，拿着牧羊时的打狼棍和甩石绳带，随地捡选五颗石子，来到阵前。歌利亚看到对方只是一个牧羊的孩子，根本没有把他放在眼里，手持大刀就直冲过来，将要接近大卫的一瞬间，大卫靠神的意志，凭借精准投石功力使劲一甩，石头正中歌利亚的脑额中心。这位迦特巨人顿时扑倒身亡，非利士人被这意想不到的结果吓呆了，阵脚大乱，以色列人乘胜呐喊追杀，非利士人落荒而逃。勇敢的大卫后来成为以色列王。

米开朗基罗为什么要雕大卫像？因为当时佛罗伦萨面对的强大竞争者，有罗马教廷与米兰大公国。在强敌环伺下，佛罗伦萨时时被逼迫威胁，需要一个英雄提振大家的士气。米开朗基罗具有强烈的爱国心，他反映出个人的政治思想，为宣示主权、保卫共和制的城市而雕刻大卫。那个大卫不再只是个稚嫩的牧羊人，而是准备出发为国为民作战的英雄。

《大卫》开始制作的时间是1501年，到1504年才完成。米开朗基罗像个艺术的苦行僧，三年多的晨昏，几乎都守在这一块巨石下，每天工作十多个小时，“当当锵锵”的声音很少间断，飞扬的白石粉塞满他的鼻孔，染白他的头发。汗水让他的衣服湿透，风替他吹干，然后再度弄湿衣服，风再度吹干……

米开朗基罗似乎在和时间比赛，完全不顾自己的形象，他的手布满老茧，他的面目黝黑，身形伛偻。他常在未成形的雕像前沉思，如何把心目中的英雄形象表现出来？米开朗基罗在他的诗中，常表示石头本身已经具有作品的胚胎，他只是做“引出”的工作，也就是把多余的部分去掉，作品原本该有的形象就显现出来。这当然是他谦虚的说法，不过却可以显示他似乎把石头看成有生命的物体，他的工作就是把石头唤醒。他呕心沥血，创造出一尊充满勇气和力量的裸体《大卫》，高 4.1 米，重五千多公斤，非常雄伟。

米开朗基罗创作《大卫》时，虽然才二十六岁，但他的艺术风格已经成熟。《大卫》是由纯白大理石雕刻而成的一尊裸体像，大卫带着蓄势待发的力量，左手上举，握住搭在肩上的甩石带，右手下垂，似握着石块，血管纹路纠结可见。头部微微俯看，双眉紧锁，怒目慑人，直视着前方。他的姿势勇敢、坚定、沉静而内敛，神情充满正义凛然的气概。这尊雕像成为文艺复兴时期风格独特的作品，被推崇为古典艺术品的典范。

不过，这一尊全裸的《大卫》刚刚雕刻完成，立即引起两种截然不同的评价。观念保守的一方，认为这尊雕像太“伤风败俗”了，恐怕会带坏社会风气，尤其家里有少女的人，更害怕女儿看到它。激烈一点的，还宣称米开朗基罗一定是疯了，应该像对付萨伏那洛拉一样，让他接受火刑。另一方受文艺复兴思潮影响的人，却觉得《大卫》是震古烁今的作品，他们极力主张要保护它。执政当局肯定《大卫》的艺术性，也肯定它所象征的英雄意义，他们派人日夜守卫着，不让反对的人来破坏。

《大卫》原本预定陈列在大教堂内，市政委员会有感于作品气势磅礴，足以鼓舞人心，就由佛罗伦萨众议院决议，成立一个委员会，专门研议雕像的安放地点。委员会的成员有当代的艺术大师，如达·芬奇、波提切利、菲利普·利比、科西莫·罗塞利，以及建筑大师朱利亚诺兄弟等人；经他们决议，把雕像放置于市政厅前的广场，作为佛罗伦萨人精神的象征。

米开朗基罗曾经在人体解剖学上下功夫，在《大卫》充分运用到。事实上，米开朗基罗用夸张的手法，把大卫的头和手都放大了，但这样反而加强雕像的艺术效果，让大卫像个巨人，耸立在天地之间，当时的人民干脆直呼大卫像为“巨人”！“巨人”安放那一天，举行隆重而盛大的揭幕仪式，人们拥到市政厅广场来观礼，大家像欢度节日一样，欢欣鼓舞。

当大师遇到大师

1500年，达·芬奇回到佛罗伦萨。来年，米开朗基罗也回到佛罗伦萨，那时他们都是大师级的艺术家。生活在同一座城市里，同在艺术圈工作，他们当然知道彼此，他们之间有没有可能擦出友情的火花？

据一些书籍的记载，他们的相遇的确擦出火花，不过，是一种短兵相接似的火爆场面。大师与大师各自戴着光环，交集时若光环无法融合，就有不协调的色调出现，这两位大师的接触就是如此！

有一天黄昏，米开朗基罗完成一天的工作，低着头正从巷子走出来。突然他听到有人说：“米开朗基罗先生走过来了，他很喜欢研读但丁的作品，听说很有心得，各位请他来解说，一定比我有见解。”

米开朗基罗抬起头来，发现有一群衣冠楚楚的绅士，其中有一个人鹤立鸡群般，正是大名鼎鼎的艺术家达·芬奇。他们正在广场上讨论但丁的作品，因为达·芬奇学问渊博，有人拿问题问他，他正准

备回答,一眼瞥见米开朗基罗走来,他知道米开朗基罗非常喜欢读但丁的作品,于是要大家听听米开朗基罗的意见。大家听了达·芬奇这句话,都看着米开朗基罗,米开朗基罗往那群人望去,脸上的表情冷冷的。

达·芬奇有着一头披肩的长发,脸上挂着他典雅式的招牌微笑,肩上披一件玫瑰色的披风,系带随风飘动,风采相当迷人。

反观米开朗基罗,身材瘦骨嶙峋,显得衣服宽大陈旧,头发不长,看起来又粗又硬,他语气不太和善地回答:“达·芬奇先生,还是由你来解说吧!你是一个聪明绝顶的人,又读过很多书。”

听了这些话,达·芬奇以他一派优雅的样子,对其他人耸了耸肩。米开朗基罗看了,心里起了一股无名火,更加尖刻地说:“你在米兰塑的一尊黏土像,经过十六年了,还没有铸成青铜,只有米兰那些笨蛋才能忍受,佛罗伦萨人是绝对不能容忍你这种‘悠闲’的习惯。”说完,加快脚步离开。广场上那群绅士一脸愕然,再怎么说,达·芬奇是个艺坛上的长者(达·芬奇大米开朗基罗二十三岁),米开朗基罗总该表现出一点礼貌!

这不是一次愉快的相遇。事实上,达·芬奇和米开朗基罗的学艺历程,颇有点关系。他们是文艺复兴巅峰时期伟大的艺术家,都是佛罗伦萨人。在艺术的师承上,他们的渊源也很深:雕刻大师多纳泰罗是米开朗基罗的老师白托多的老师,而达·芬奇曾在维罗奇奥门下当学徒和助理,维罗奇奥也是多纳泰罗门下的学生,算来多纳泰罗是他们两人的师祖,他们可说是师兄弟。另外,米开朗基罗的绘画老师吉兰达约曾在维罗奇奥门下,是达·芬奇的师兄,如此算来,达·芬奇算是米开朗基罗的师叔。达·芬奇还曾经在洛伦佐·梅迪奇的身边当画师,直到1482年移居米兰,米开朗基罗则是在1489年进入洛伦佐·梅迪奇创办的圣马可学院,也就是说,他们先后都在洛伦佐身边供职或学习。

有这些相关性,某些人可能要以同门师兄弟相称,密切来往,他们却从不如此,反而有针锋相对的情况。有趣的是,存在于他们之间有一些很戏剧性的差异:达·芬奇讲究穿着,谈吐含蓄、举止优雅,有雍容大度的样子;米开朗基罗则是脾气暴烈、相貌黑瘦,一副不修边幅的德行。达·芬奇有着科学家与哲学家的冷静沉着;米开朗基罗则是浪漫诗人的狂烈激情。宗教信仰上达·芬奇偏向怀疑论,米开朗基罗却相当狂热执着。对国家的认同上,米开朗基罗是个爱国主义者,他不齿达·芬奇到敌国米兰工作,他认为那简直就是"叛国"的行为。可是达·芬奇却认为如果君主不够贤明,不懂得惜才,即可到能发挥才能的邦国去工作,因为当时的意大利,像中国古代的春秋战国时期,国与国之间常有战争,有才能的人常会跑到别国,替别国的君主工作。

传记家对达·芬奇和米开朗基罗以对比鲜明的风景画来形容:清秀和粗犷、温和和孤傲、微风和雷电。

虽然他们都是艺术家,都从事雕刻和绘画的创作,但是达·芬奇

比较钟情于绘画,米开朗基罗则自小醉心于雕刻。米开朗基罗还在吉兰达约画室学习的时候,曾发表推崇雕刻、贬抑绘画的言论,当时和同学辩论得非常激烈,几乎要打起来了。无独有偶,达·芬奇发表过相反的言论,他说:“这两门艺术的主要差别,就在于绘画需要更多的精神力,雕刻需要更多的体力。”

他进一步说:“雕刻者工作时,全身出汗同苦工一样,汗水中夹杂了灰尘,肮脏得很;他的脸上出现了汗污,又蒙上了大理石白粉,好像面包师傅;他的衣服沾满了石屑,好像沾满了雪片,他的家里充塞石头和灰尘。”

这段话的画面灰蒙蒙的,实在让人很不舒服。

“画家工作时,就可以很舒适地坐着,听着音乐,穿着漂亮服装,用的是轻松的画笔和悦目的颜色。他的家里明亮而清洁,没有锤子声或其他难听的声音骚扰……”

这段话的画面令人感到舒适,无比浪漫。可是真是如此吗?不管是米开朗基罗的说法或是达·芬奇的说法,都站在自己喜好的立场来看。从事艺术工作,有甘也有苦,对喜欢的人来说,满身汗污也许才过瘾;而米开朗基罗说绘画不能保持长久,许多画却一代又一代的被保存下来,尤其科技日益发达,温度、湿度控制得宜,一样可以流传很久。

从这两位大师的评论,也可见得他们都有很天真的一面,一心想要推崇自己喜欢的东西。当时他们各有“粉丝”,那些粉丝一逮到机会就争论不休。粉丝们不了解两位大师的内心里，其实都很惊叹对方的才气，当时达·芬奇的画作《最后的晚餐》[1]和《蒙娜丽莎》[2]正红透半边天，而米开朗基罗的《大卫》更是成为佛罗伦萨的地标，两人的名气不相上下。

天才与天才的相遇，难免要暗中较劲一下，果然，他们有了一个比武的擂台。米开朗基罗雕完《大卫》，市政厅给他四百个金币，他很高兴，因为这是一笔优厚的酬劳，正好让他拿来纾解家里的经济困境。可是当他听说市政厅用一万个金币请达·芬奇在市政厅的大会议厅韦奇奥宫画一幅壁画，心里很不平衡。执政者似乎认为达·芬奇

1 《最后的晚餐》是一幅壁画，取材自《圣经·马太福音》第26章，描绘耶稣在遭罗马士兵逮捕的前夕，和十二个门徒共进最后一餐时，他预言“你们其中一人将出卖我”后，门徒们都显得困惑、哀伤与骚动，纷纷询问耶稣：“主啊，是我吗？”的瞬间情景。唯有坐在耶稣右侧（即画面正方左边第四位）的叛徒犹大（Judas）惊慌地将身体往后倾，一手抓着出卖耶稣的酬劳（一个装有三十个银币的钱袋），脸部显得阴暗。此画是画在马利亚·德·格雷齐教堂的餐厅，颜料是达·芬奇自己发明的，是一种油彩与蛋彩的混合颜料，而非中世纪时期广被运用的湿壁画颜料。此颜料因混合了有机物，据知是牛奶与鸡蛋，而且达·芬奇涂得很薄，导致《最后的晚餐》在五十年后就因湿气而开始剥落，修道院费尽心力修补此画多次。

2 《蒙娜丽莎》（*La Gioconda*）是一幅油画，画的面积不大，长77厘米，宽53厘米。这幅画画了一位表情内向、微带笑容的女士，她的笑容有时被形容为“神秘的笑容”。《蒙娜丽莎》被许多人认为是艺术史中最著名一幅画，在历史上很少有其他作品被如此浪漫化，受到非常多的赞扬，并且被大量复制。此画目前收藏于法国卢浮宫。

的才气比他高，也印证了达·芬奇对绘画和雕刻所下的评断。是可忍孰不可忍，当时年轻气盛的米开朗基罗忍不下这口气，气冲冲地跑去找执政官索德里尼。

米开朗基罗问："阁下，为什么我的大卫像只值四百个金币，达·芬奇的一幅壁画却值一万个金币？"

执政官一时不知道怎么回答，只好说："你创作的是雕像，他创作的是壁画。"

这种轻视雕像的话让米开朗基罗非常生气，但是他知道要扭转外行人的观念很难，他情急之下脱口说出："如果你以一万个金币聘我，我可以画出和达·芬奇一样好的壁画。"

执政官眼睛一亮，心里想着：让佛罗伦萨正火红的两个大师同台竞争，可是千载难逢的机会，他马上回答："好的，大会议厅的另一面墙壁就由你来画，你可以拿到一万个金币。"

米开朗基罗回去后，头脑比较冷静了，才发觉不妙，虽然他在吉兰达约画室学过画，可是为时不长，进了圣马可学院，他把学习重心都放在雕刻上，绘画有时是为了雕刻而做的素描，有时是为了打发时间，他怎么能跟画出《最后的晚餐》的人相比？

米开朗基罗有点想打退堂鼓，可是这样一来，达·芬奇的拥护者可有话题讲了，好强的他，决定咬紧牙根，拼了！

整个佛罗伦萨快要沸腾了，因为两个天才艺术家将要同台较劲，韦奇奥宫这个擂台，会出现什么样的两幅壁画？大家都拭目以待。执政官给他们的共同主题是：战争，内容要能表现佛罗伦萨人的正义和勇敢。

达·芬奇早已动手，他在圣母玛利亚教堂绘制草图，创作的内容以1400年时，佛罗伦萨战胜米兰的战役“安加利之役”。战争场面很大，达·芬奇选择敌对双方旗手争夺旗帜的片段作画，旗手龇牙咧嘴呼啸向前，想要夺下对方的旗帜，马受到他们的鞭笞，也都立起脚向前扑。一个穿着铠甲的勇士上前护卫旗手，而在马下方，又有两个战士正在厮杀，不顾被马踩死的危险。整个画面充满紧张的战斗气氛，绘画技法的高超，让人赞叹。

米开朗基罗绘制草图的地点在圣昂诺佛里奥的染工医院，他悄悄去看过达·芬奇的草图，心中不得不佩服。他想如果自己再从战争

的场面着手，没有什么新意。他考虑了很久，决定用另一个角度切入。他选择画“卡西那之役”，发生在1364年，比萨人来袭，佛罗伦萨士兵应战的一幕。他努力研读古代经籍，知道那是一场浴血战，但善于画裸体的米开朗基罗，选择一个特殊的场景。他描绘士兵们正在亚诺河里洗浴，突然号角响起，大敌当前，所有士兵由河中急急跃出，准备应战。画面上出现的士兵，有的大略穿戴好甲衣，有的还裸着身体。那些士兵结实的肌肉，充满强劲的战斗力，表现出义无反顾的大无畏精神，这种充满阳刚之气的年轻生命，即将在战争中殒灭，画面上更具悲壮之美。此时米开朗基罗的雕刻技法已成熟，他巧妙地将雕刻的特性运用在绘画上，使他的壁画自然而然表现出浮雕般的立体感。

草图完成后，开放给市民来欣赏，许多人蜂拥而至，其中不乏从事艺术工作者。他们两位艺术家的粉丝当然不会放过这个机会，那些人在两幅草图之间穿梭，品头论足，非要看出个高下。达·芬奇依然以他优雅的态度，为别人提出的问题解答，人们以为他只擅长处理优美的画面，没想到他描绘战争的场面是如此令人战栗。

米开朗基罗却显得不自在，雕塑时他身边总有助手帮忙，但工作时他的态度严谨，不善和人交际，闲杂人在旁边，他会感觉受到干扰。他比较像独行侠，这一天川流不息的人潮，让他有点受不了，若有人向他提出问题，他也都只是简短地回答。

他曾在一张人体素描稿上面写下四句诗：

当太阳收回它的光芒

当其他人都去寻找欢乐的时候

他单独地在树荫下依然热不可当

他躺在草地上悲伤和哭泣

这很可能是他在从事雕刻构思时，随手记下自己的心情。工作一天之后，大多数的人选择放松，寻找各种让自己快乐的调剂方式，而他呢？继续想着工作，心中有着无边无际的孤独感。

达·芬奇和米开朗基罗都对自己的作品有信心，但也暗中赞赏对方的作品，只是身为众所瞩目的艺术家，两个人都有点“矜持”，彼此并没有多少互动，只在后来与朋友聊天中透露心中的赞赏。

总括来说，人们认为他们的作品各有特色，不分轩轾。大家等着他们把作品完成，再做最后的定夺。可惜历史走到这里，又有一个戏剧化的发展，谁也没料到这么盛大的竞技擂台，高潮戏还没上演就落幕了，给艺术史留下一个永远的缺口。

当时所能用的颜料并不多，达·芬奇对这幅画的色彩有独特的想法，他甚至想使用古代的一些画法，以当时有的颜料根本无法达到他的理想，于是他决定自己调配些新的颜彩。他在实验室里做了一些试验，以新的颜彩涂上去，不料他涂上去的颜料，不到几天就失败了，他无心再画下去。另一方面，米开朗基罗接到教皇朱里亚斯二世的召令，要他立刻前往罗马，为教皇雕制陵墓。米开朗基罗只好匆忙收拾行囊，再度到罗马去。

米开朗基罗走了，达·芬奇似乎更没有动力去完成那幅作品，一年多之后，达·芬奇接受法国驻米兰总督的邀请，再度到米兰去了。

至于那两幅草图，最后都散失了，据说米开朗基罗的草图被许多艺术家分割，各自加以保存。还好在散失前，有些艺术家将它们临摹下来，我们今天还可以透过临摹的作品，想见它们的原貌。

当达·芬奇和米开朗基罗同时为韦奇奥宫画壁画的时候，有不少人是带着看热闹的心态，好像站在高岗上，看两匹马相搏斗的景象；却有一个人，抱着惋惜的心情，看着两位大师竞技，他就是拉斐尔，文艺复兴鼎盛时期的三巨匠之一。这个时候的拉斐尔才二十一岁，刚从他的故乡来到佛罗伦萨，在这个艺术家多如过江之鲫的大城市，没有多少人认识他。

拉斐尔是个俊美的青年，画风和他的老师佩鲁琴诺很接近，偏向秀美宁静。佩鲁琴诺早他一年到佛罗伦萨来，所以他特别到老师的画室拜访。佩鲁琴诺对拉斐尔的评价很高，曾对他说过："孩子，我看得出你的天分很高，将来会是艺术界的瑰宝，但是你目前没有自己的风格，要知道艺术的风格就是艺术的灵魂，当你找到自己的风格以后，你就是在往艺术大师的路上前进了。"

佩鲁琴诺很高兴看到拉斐尔，带着他认识很多艺术家，其中最有名的就是达·芬奇。拉斐尔早就久仰达·芬奇的大名，见到态度温文儒雅的达·芬奇，心情更加激扬。达·芬奇很喜欢到佩鲁琴诺的画室，和年轻的画家谈谈艺术方面的观念，他喜欢听年轻艺术家发表自己的看法。佩鲁琴诺的画室俨然成为一个艺术沙龙，画家们常常来这里高谈阔论。达·芬奇看到拉斐尔，像个长者一样，热络地招呼他、鼓励他。

米开朗基罗偶尔也会来，但是他并不像达·芬奇那么随和，他总是郁郁寡欢、若有所思的样子。《大卫》为他带来盛名，这段时期是他雕刻的盛产期，他手边老是有工作在进行，而他又是对工作非常投入的人。一般艺术家对他艺术上的才华都给予极高的肯定，做人方面却有些意见。有人介绍拉斐尔让他认识，他只是礼貌性的点一下头，就径自离开了。

拉斐尔常来画室，他的长相俊美如天使，个性更是温雅，很受大家欢迎。佛罗伦萨是艺术重镇，他在这里眼界大开，他很欣赏达·芬奇和米开朗基罗的画风，所以他的作品里面看得到两位大师的影子。在这里他有许多机会创作，他的技巧也得到更多琢磨，终于形成自己的风格。他擅长处理女性和社会，以及母子之间的关系，一系列的圣母像让他渐渐崭露头角。

据说拉斐尔非常欣赏米开朗基罗画的《卡西那之役》草图，曾经对米开朗基罗说："您的这一幅草图，让绘画提升为另一种艺术，我想要好好学习，请问您可不可以让我把绘画工具搬来，在画稿前临摹？"米开朗基罗并没有答应拉斐尔的要求。

传记家瓦萨里说："假若说米开朗基罗掌握并征服了艺术的话，那么拉斐尔就是既掌握了艺术，又掌握了生活的风度。"

教皇朱里亚斯二世是个好大喜功的教皇，在圣彼得大教堂看到米开朗基罗雕刻的《圣殇》，非常赞赏，于是召令米开朗基罗到罗马来。1505年春天，米开朗基罗再度来到罗马。

朱里亚斯二世对米开朗基罗说："我对你的才华非常激赏，希望你帮我设计规模宏大的陵墓，那是我死后要长眠的地方。"

教皇给米开朗基罗一幢宽敞的房子，房子坐落在圣卡帖利娜教堂附近，工作室也在其中，另外还指派一些助手和仆人给他。这么优渥的条件，让米开朗基罗觉得自己是一匹千里马，碰到识马的伯乐，他准备好好发挥一番。

米开朗基罗马上展开工作，他设计出一座宽大的陵墓，有四十尊大理石雕像安置其中，顶层安放教皇高大的雕像。教皇说好每年支付一千两百杜卡特的薪水（约当时雕塑家一年收入的十倍），完工之后，米开朗基罗还可以再获得一万杜卡特的酬劳。

接着,米开朗基罗亲自深入著名的卡拉拉山麓,督导工人开采白色大理石。他在那里待了八个月左右,采了不少石材,但是运送大理石的工作有时候很不顺利,不是船只搁浅,就是河水暴涨淹没了船只。经过千辛万苦,陆续运送了九十多车的大理石,把圣卡帖利娜教堂前的大广场和附近的街道都塞满了。市民们都知道,年轻而伟大的雕刻家米开朗基罗将为教皇建造一座宏大的陵墓,教皇在梵蒂冈教廷和米开朗基罗的工作室之间,筑了一条专用的步道,以便于他来和米开朗基罗讨论这项宏伟的工程。

不幸的是,教皇是个跋扈而善变的人,米开朗基罗尚未开始动工,教皇听他御前建筑师布拉曼特说,人还在世的时候建造陵墓是不吉利的事,当时六十三岁的教皇怕蒙上帝宠召,放弃兴建陵墓的计划,转而想重新兴建圣彼得大教堂。之前他只给了米开朗基罗一千杜卡特,米开朗基罗拿这些钱来买石料、付运费以及支付工人的费用,发现根本不够用。

米开朗基罗原来把希望寄托在建造陵墓的薪酬上面,可是教皇迟迟不愿付钱,他只好向银行借贷,欠了一屁股债。现在竟然听说陵墓不建了,他急忙跑去见教皇。

当米开朗基罗和教皇一起吃饭的时候,听到教皇向一位珠宝商和司礼官说:“我不愿意再花一毛钱在任何大理石上面了。”

米开朗基罗听了非常震惊,餐后,他硬着头皮去向教皇请求支付他所贷的款项,那天刚好是星期六,教皇要他下星期一再去取款。

熬过了星期天，星期一米开朗基罗去见教皇，被拒绝接见，星期二、三、四他都去了，还是见不到，星期五他甚至被一个侍从官赶出来。现实的债务和自尊的受损，伤透了他的心，在后来给教皇的建筑师的信中，米开朗基罗沉痛地写下：“如果我留在罗马，我的坟墓恐怕需要比教皇的早一点挖！”在悲愤的心情下，米开朗基罗决定逃离罗马，他交代仆人将工作室的家当卖给犹太人，就骑上马往北方奔逃，他心中暗暗发誓，别再回到这个让他受辱的地方。

半夜，米开朗基罗一路快马加鞭逃离，他穿过几个设有驿站的小村庄，每到一个驿站就更换马匹。他感觉后面有追兵，所以不敢多逗留。这次逃离罗马，比起他上次逃离故乡要惊险得多。他心里很难过，他只想做一个全心全意奉献艺术的人，为什么命运老要跟他过不去！

好不容易逃到不受罗马教皇管辖的佛罗伦萨国境，家在不远的地方了，他放慢速度，在波吉邦西镇找了一家小旅馆要过夜，没想到追捕的人也抵达了，拿出盖有教皇玉玺的公文，要求他回罗马应命。米开朗基罗坚持不回去，写了一封信表明自己的心迹，让追捕的人带回去给教皇。

后来，布拉曼特代替教皇写信给米开朗基罗，米开朗基罗回信再把离开罗马的原因讲清楚，并希望布拉曼特转达，请教皇支付该付的钱，也请教皇答应他留在佛罗伦萨工作，他会在佛罗伦萨雕刻，再送到罗马去，他保证将如期完成陵墓的工作。

教皇是个跋扈的人，哪里肯答应！于是他对佛罗伦萨市长施压，希望市长劝米开朗基罗回罗马。米开朗基罗还是不想回去，他有他执拗的艺术家性格。最后，米开朗基罗决定到土耳其去。这个风声放出去，教皇也听闻了，好大喜功的教皇这会儿正带兵占领波隆那，那里的执政官已经逃亡，教皇说下一站也许就要来佛罗伦萨。这一来市民们可恐慌了，政局好不容易才稳定下来，他们不希望再有战争。

市长索德里尼十万火急找到米开朗基罗，说："伟大的米开朗基罗，现在不是你和教皇之间的恩怨，而是关系到我们整个佛罗伦萨人民的存活问题。"米开朗基罗怎么也没有想到自己突然这么重要，他有浓厚的爱国情操，当然不愿意市民因为他而遭受蹂躏，于是动身前往波隆那，去见教皇朱里亚斯二世。

教皇见到米开朗基罗，酸溜溜地说："米开朗基罗，你比较伟大，要我老远从罗马来这里才能看到你。"罗马到波隆那比佛罗伦萨到波隆那还远，教皇认为自己吃亏了。

米开朗基罗沉默不语，旁边一位主教看到局面有点僵，打圆场说："陛下，他是艺术家，只有在工作室的时候才是天才，一到外面的世界就什么都不懂，像白痴一样。"

"你才是白痴，你这个混蛋，你给我滚出去，滚到撒旦那里去！"教皇气得拍桌子大骂。那位主教赶紧离开，米开朗基罗心中暗暗叫苦，心想个性这么阴晴不定的人怎么相处？

教皇这时换上一副和气的样子，对米开朗基罗招招手，说："孩

子,过来,我已经祈求上帝原谅你,以后要守信用,还有很多事要由你来完成。”

米开朗基罗慢慢走过来,教皇用力地拥抱他,他们算是“一抱泯恩仇”。只是米开朗基罗心里难免嘀咕,到底是谁不守信用啊?

教皇为了昭显自己在波隆那的占领势力,要米开朗基罗为他铸一尊大铜像留在这里。米开朗基罗说:“陛下,我擅长石头的雕刻,铸铜像我不在行,请另外找人做。”

“米开朗基罗,像你这种天才哪有学不会的事?反正都是艺术品,你去想办法!”教皇丢下这句话,米开朗基罗就得留在波隆那铸造《教皇朱里亚斯二世铜像》。

接下来的两年对米开朗基罗而言,是很艰辛的两年,主要的原因当然是铸铜像和雕刻大理石是非常不同的制作手法,自小喜欢拿着玩具榔头和凿子“当当锵锵”敲打石头的他,必须放下工具,制作一尊暴君的铜像。

几年前米开朗基罗曾经铸造过一尊高约 1.2 米的《大卫》青铜像,那是受法国元帅委托的,他因为铸造那尊铜像,深深了解铸造青铜像的困难与辛苦,何况教皇要铸造的是高约 4 米的铜像!不过,教皇决定的事,谁也无法改变,已经享有名气的米开朗基罗,不想要毁掉艺术家的美名,只有付出更多的心力。

朱里亚斯二世真是个怪人,就算他爱才,不惜动干戈也要再度把米开朗基罗召来工作,可是他对于铸造的经费却不能充分供给,让米开朗基罗工作的场所很寒伧，能够支付给助手的薪水也不多，引起助手的不满。助手们天天在笨重的泥堆中工作，还不停试验金属熔化的特性，工作起来又热又累，当然抱怨连连。米开朗基罗和其他三个助手挤一张床，已经觉得够委屈了，还得不时听他们抱怨，脾气更加暴躁。米开朗基罗尽量给他们多一点报酬，他们还不满足，自以为是了不起的艺术家。他解雇了一个石刻匠拉波，拉波就怂恿塑铜匠拉多维哥一起离开，他只好从故乡佛罗伦萨请来铸铜匠贝纳迪诺。拉波他们回到佛罗伦萨还到处讲米开朗基罗的坏话，连家人都对米开朗基罗不谅解。

米开朗基罗在家书里对弟弟说："在这里我工作的报酬很少，也不知道什么时候可以拿到。此外，我随时都可能遭到不幸。"古人说："伴君如伴虎。"尤其是像朱里亚斯二世这样的教皇，更需要战战兢兢、戒慎恐惧。艺术家需要自由的创作空间，可是在那个时代，常要依照委托人的意思来创作，不能完全依照艺术家的自由意志来创作。

每当夜深人静，他常因工作太劳累而睡不着，他的思绪总会飞回少年时代，他在圣马可学院跟着慈祥的白托多学雕刻，在柏拉图学院和诗人、哲学家们一起，从他们渊博的学问里汲取养分。比起现在，他那时候多么年轻无忧啊！

当泥塑像几乎完成时，教皇来视察工作进度，塑像脸部表情很有威严，这让教皇很满意，米开朗基罗问教皇右手要拿本书或是什么？

"拿什么书！我喜欢剑，越锋利的剑越好。"教皇不假思索地说。

“左手呢,陛下?”

“嗯,向虔诚的羔羊祝福好了。不,一个诅咒的手势好了,哈哈哈!”教皇说完笑了起来,其他人也都陪着笑。

米开朗基罗特别聘请米兰的铜像家巴纳丁诺来帮忙,但是由于疏忽出了一些纰漏,害他们又付出许多辛苦、疲劳和费用的代价。除此之外,又要担心别染上流行的瘟疫,把命给丢了;而铸造铜像期间,波隆那城内还因暴民作乱而发生过武装冲突。

经过七灾八难的一年多时光,《教皇朱里亚斯二世铜像》终于完成,在 1508 年春天某个早晨,波隆那的教堂响起宏亮的钟声,教皇亲自主持铜像的揭幕典礼,大家争相来看,瓦萨里形容这尊铜像:“表现了高度的艺术,姿势中见出伟大与崇高,衣着上见出风采与豪华,面貌上添加了勇气、力量、决断和某种威严。”

不过,这是一尊短命的铜像,四年后,波隆那的人民起来反抗教皇,用绳套套住这尊雕像的脖子,将它硬生生的拉倒,碎成好几块,还在地上撞出一个大窟窿。有一位阿尔封斯·德斯特公爵买来铸成一尊大炮,大炮的名字就叫作“朱里亚斯”。米开朗基罗可以体会那些起义者的心情,所以他并不觉得难过,也从不提起这尊铜像。

在波隆那完成《教皇朱里亚斯二世铜像》后，米开朗基罗以为他可以回到故乡长住，做他喜欢的“当当锵锵”的雕刻工作。

参加完揭幕典礼，米开朗基罗赶紧回到佛罗伦萨。他帮弟弟们在他的朋友劳伦佐·史绰济的羊毛商店里，投入一些资金，让弟弟们可以分到一些红利。另外，一个叫冈佛洛尼·苏德律尼的人，在当时统治者的授权下，聘请米开朗基罗雕刻一尊巨大的《赫拉克勒斯》，准备和他先前雕刻的《大卫》相配。米开朗基罗非常高兴，随即从卡拉拉山订购大理石，在等待石头运来的时刻，他又拿起思念已久的榔头和凿子，雕刻圣徒马太像。

只是，命运似乎喜欢和米开朗基罗作对，不久，朱里亚斯二世的召令又来了，要他立刻动身到罗马去。米开朗基罗不愿意离开故乡，但是教皇的命令难违，而且他以为教皇要他继续去做陵墓的雕刻工作，第三度前往罗马。

到了罗马，见到教皇，教皇朗声对他说："米开朗基罗，你有很好的艺术才华，我们已帮你找到最能发挥你的才华的工作。"

米开朗基罗心想：总算要让我拿起榔头和凿子了。不过他还是礼貌地问："陛下，请问是什么工作？"

"就是西斯廷教堂的天花板，我希望你能为那一大片天花板画上美丽不朽的画。"教皇兴奋地说着，仿佛他已经看到一片辉煌的画面。

米开朗基罗却一阵晕眩，怀疑自己听错了，但是看到教皇身边的建筑师布拉曼特正含笑点头，附和教皇的说法时，他知道这是真实的命令，赶紧向教皇陈述："陛下，您知道我的专长是在雕刻方面，绘画方面的能力太粗浅，要画西斯廷教堂的天花板，还是请真正的画家吧！"

没想到教皇哈哈大笑说："米开朗基罗，你很谦虚，去年要你帮我铸造青铜像时，你说你不懂金属的铸造，结果你铸造出那么杰出的作品，现在你又说自己不精于绘画，到时候说不定又要完成什么了不起的作品。你不要多说了，赶快去想想要怎么画。"

就这样，一件棘手的工作落到肩上来。让我们随着米开朗基罗沉重的脚步，先来看看西斯廷教堂的天花板长什么样子？

西斯廷教堂兴建于1477年，建筑师彭帖利也是佛罗伦萨人。这座教堂的比例完全按照《圣经》里所描述的耶路撒冷所罗门神殿的比例来设计，长度是高度的两倍，宽度的三倍。这座教堂还兼有要塞的功用，基部的墙厚达3米，顶篷是半圆形的。

文艺复兴时代的壁画大多是湿壁画，绘制的过程虽然不像青铜像的铸造过程那么艰难，但也是不容易把握的艺术工作，西斯廷教堂的壁画难在画的是天花板，由于是穹窿状（拱形），整个面积相当大，不能用平面画的概念去规划。

米开朗基罗在动笔作画的那一天，他写下这样一句话："1508年5月10日，我，雕刻家米开朗基罗，开始做西斯廷的壁画。"他特别强调自己是雕刻家，表达无言的抗议。

重拾画笔的米开朗基罗，立刻就碰到一项旷古大工程。这种工作也不像纯粹画家，如达·芬奇所形容：舒适地坐着、听着音乐、穿着漂亮服装。画湿壁画要先搭架子，那时他们称为"脚手架"，类似现在的"鹰架"，方便人站在上面工作，画天花板的脚手架又比画墙壁的脚手架特别。教皇原本叫布拉曼特负责搭建，布拉曼特在天花板上凿了很多洞，再用绳子把架子悬在空中，米开朗基罗一看，觉得这简直是胡搞，就问他："你凿这么多洞，将来壁画画完了，要怎么补这些洞？"

布拉曼特回答："到时候再说吧！"

米开朗基罗向教皇说明这样将来修补有困难，整个壁画会留一些坑坑洞洞，教皇就交给米开朗基罗自己去想办法。米开朗基罗仔细研究后，请石匠罗塞利带领一批工人搭起架子。罗塞利是米开朗基罗的好朋友，他不但是雕塑家、建筑师，也是工程师，他利用圆拱形的原理，把架子搭在撑柱上，这样既可避免弄脏墙壁，也可以省下

许多绳子。脚手架搭完，米开朗基罗把省下的绳子送给一个搭木架工人，那个工人把绳子卖一卖，竟然可以为他的女儿办嫁妆。

搭好脚手架，罗塞利率领工人打掉屋顶的旧泥灰，抹上新泥灰。由于这一次的脚手架设计得很好，因此上面在做工程的时候，下面教堂的活动仍可照常进行。

一旦投入工作，米开朗基罗就全心全意去做，他依天花板的特性加以设计，完成一个非常繁复的蓝图。整个壁画的名字是《创世记》，取材于《圣经》的故事，他把计划给教皇看，教皇看了龙心大喜。

他有一首《呈教皇朱里亚斯二世》的诗说：

主啊！可曾见过古人说实话，
可曾听过这句话：人人可说实话，但却不愿。
看，您还深信那无稽之言，
奖赏那痛恶真理的人。

我是您的臣仆，打从年轻的时候——
属于您的，就好像太阳四周射出的光芒；
可是您并不在乎我耗去的宝贵时光；
我愈辛苦，愈是得不到您的怜悯。

我曾一度希望您提拔，
我们需要的，是公平且有力的正义之剑，

而非虚假之声。

天堂，尽其所能，普植美德于人间，
我们的奖赏——
垂死枯树，盼其结果。

有才华的人当然希望受到赏识，可惜朱里亚斯二世老是要米开朗基罗做他自认为不很在行的事，难免让他有“怀才不遇”的感慨。他需要的是发挥雕刻的长才，尤其教皇一开始要他做的陵墓石雕，就是他最想做的事，教皇却听信布拉曼特说做“生陵”不吉祥，整个工程搁下来。现在又要他做这一项几乎“不可能的任务”，他只有借诗来抒发心中的不平。

整个西斯廷教堂天花板的面积约有1080平方米，由于呈拱形，米开朗基罗在制作草图的时候必须非常谨慎，把每一部分的面积都估算得很精确。他甚至得拿着草稿纸在现场模拟、规划，除了天花板本身，教堂四边角落，天花板和墙面接合的四块帆状区域，称为“三角文件”的区域也要顾及；还有窗户上方的弧形壁面，这些壁面有的弯、有的平，有的大、有的小，形状很不协调，这都考验着米开朗基罗的构图，所以光是草图就花了三个月的时间才完成。

画这种湿壁画需要团队合作，米开朗基罗认为自己经验不足，特别请来师兄格拉纳奇当他的副手，格拉纳奇就是在街头发现米开朗基罗喜欢观看教堂雕刻，进而把他引进吉兰达约画室的人。这时候吉兰达约已经过世，格拉纳奇也三十九岁，可是他并没有闯出什么名气，平常只画油画和蛋彩画，对湿壁画总是敬而远之。米开朗基罗找他来，要他负责采买工具、颜料，管理一些杂务及寻找助手等，由于他对整个过程很了解，正好来监督整个团队的工作。

米开朗基罗当时名气已经很响亮，格拉纳奇受到他的器重，态度也积极起来，很快的从佛罗伦萨挑选四个画家来罗马，他们对湿壁画有相当的技巧。

米开朗基罗决定从“大洪水” 画起，一方面可能是他对这个场景有兴趣，一方面是这个位置比较不是那么显眼，因为他初次与这批人合作，不知道他们能力好到哪里。

“大洪水”里的人物、动作，可以从米开朗基罗之前所绘的《卡西那之役》寻到蛛丝马迹，他很擅长处理肌肉紧绷、扭曲的姿势。且由于他曾亲眼见过台伯河或亚诺河泛滥成灾时人们逃亡的景象，甚至他自己也有曾在洪水中抢救大理石的经验，构图对他不难。不过，才完成不久，就得打掉大半的面积，重新来过。他们使用的又是比较花时间的“针刺誊绘法”，要先用针刺在草图上的线条，再转印在湿泥灰上，所以面积并不很大的“大洪水”却花了许多时间，这对整个团队的士气难免有影响，何况还要考虑气候因素，那时冬天已经逼近，非常不适合湿壁画的绘制。

米开朗基罗赶着要完成“大洪水”，在寒风刺骨的冬天，带着绘画团队咬紧牙关工作，没想到“屋漏偏逢连夜雨”，画面竟然长霉，而且因为盐结晶起了霜粒，画中的人物几乎无法辨识。因罗马和佛罗伦萨常有洪水，导致地质产生变化，久而久之影响到墙壁，使得历来许多湿壁画大师的作品都无法留存。

冬天来自阿尔卑斯山的湿冷北风，使发霉情况更加不可收拾，意志力一向坚韧的米开朗基罗也不免灰心丧志，他对教皇说：“老实说，陛下，这不是我的专长，我已经搞砸了，您如果不相信，可以派人来看看。”米开朗基罗心想，也许可以利用机会辞去这份工作，早点回去做他喜欢的雕刻。

教皇派了建筑师桑迦洛来视察，桑迦洛是米开朗基罗的同乡兼好朋友，他看出盐霜的问题在于泥灰调配上，经他指正后，算是解决了,发霉的问题也是经过桑迦洛指导才解决。不久后,米开朗基罗大概觉得自己对湿壁画比较有把握,于是辞退这群助手,让他们回佛罗伦萨。

跟着米开朗基罗来罗马的老管家巴索,原本指望他能来帮忙料理一些杂务,他却病倒了,等病稍好一些,他就自行回去佛罗伦萨,米开朗基罗怕他年老体弱,病死在半路上。米开朗基罗写信给大弟波那罗托,唠唠叨叨抱怨了一番。后来,家人在佛罗伦萨找了一个小孩来供差遣,办些采买、料理三餐的杂务。原本小孩说愿意做任何事,没想到这一来就病到差点死掉,不但不能做事,还要人照顾。好不容易等他病好了,却偷懒不做事,说他只想读书,不想浪费时间去做事。凡此琐碎难以预料的事,多少都会影响到米开朗基罗工作的时间和心情。

当然米开朗基罗的助手群,也有与他意气较投合的人,例如一个叫托尔厄的画家,这个人的人生观与米开朗基罗南辕北辙,他宣称:“若非不得已,我绝不工作。只有工作而没有玩乐,不是基督徒该过的生活。”不过他个性开朗诙谐,为米开朗基罗带来一些欢笑,让米开朗基罗紧绷的神经能稍微缓和些。

后来,有两个来自波隆那西北地区的画家特里纽利和札凯蒂加入,他们和米开朗基罗结为不错的朋友。

助手群的成员来来去去,变动不少,有的是米开朗基罗策略性的做法,有的是工作不力、爱惹麻烦,有的是能力不足等。湿壁画是

团队工作，这些变动多少造成米开朗基罗的困扰。但那些困扰比起他家人制造的，大概算不得什么。从1508年至1512年，这四年之间，米开朗基罗的生活重心应该以西斯廷教堂的天花板湿壁画为主，但家庭成员轮流为他制造麻烦。

首先是二弟乔凡西莫内硬是要来罗马一趟，他以为米开朗基罗是教皇面前的红人，可以通过哥哥谋个好差事，他野心不小，个性却不稳定，不愿投入心力在工作上，在家的时候还常和父亲、哥哥起冲突。当米开朗基罗忙于教堂天花板壁画的筹备工作时，他来不但没有帮上忙，还生了一场重病，那时罗马还有瘟疫在流行。

过不了多久，米开朗基罗的父亲洛多维科也碰到棘手的问题。当年洛多维科搬回佛罗伦萨是和哥哥嫂嫂住在一起，不巧他哥哥去世了，他的嫂嫂依法有权利要回她的嫁妆。家中经济状况不好，如果归还那些嫁妆，经济将更拮据，他的其他儿子都自顾不暇，能求救的只有米开朗基罗。自古以来打官司都是劳神伤财的事，米开朗基罗在罗马忙，只有在信中向洛多维科保证，他会扛下家中的经济大任。不过他也不得不告诉父亲，教皇已经一年没付他任何钱，但由于工作进度不理想，他也不好去要经费。

米开朗基罗和父亲洛多维科的关系非常微妙，洛多维科一向以贵族的后裔为荣，也希望儿孙做贵族应该从事的职业，他看重米开朗基罗的聪颖，寄予厚望，所以对米开朗基罗的艺术偏好嗤之以鼻，甚至压抑、打骂，他们之间永远存在一种爱恨交织的情愫。但从米开朗基罗对父亲的困难费尽心思去解决的情况看来,他是个相当孝顺、负责的人。

这个夏天真是多事,父亲的诉讼案在进行中,不争气的二弟乔凡西莫内却又做出让家人非常不谅解的事,他似乎做了威胁他父亲的事,他父亲气得写信向米开朗基罗告状。米开朗基罗很少写信给二弟,这次却写了一封充满怒骂的信:"多年来,我一直用好话和善行待你,想使你过诚实的生活,和父亲及兄弟们和睦相处,你却越变越坏。你一无是处,我为了神的爱,负担你的生活费用和房租,相信你和其他兄弟一样,是我的弟弟。现在我看穿了,你不是我弟弟,如果你是我弟弟,你就不会威胁父亲;相反的,我认为你是一只禽兽,我要像对待野兽般对待你。凡是看到父亲受威胁攻击的人,就有义务冒生命的危险去复仇!"不过,后面米开朗基罗口气也放软,要他重新做人,尊敬父亲,这样就会为他开一家好商店。

这封信很长,米开朗基罗先拿出当哥哥的权威,对弟弟不理性的行为加以训斥,把他骂得狗血淋头,接着又像慈母一样苦口婆心的劝他改过向善,最后忍不住大吐苦水,让弟弟知道这些年他在外面奔波,吃了不少苦,一切努力都是希望给家人舒适的生活。他要以这封信唤醒弟弟的良知,希望弟弟早点长大。

朋友可以选择,家人却不能选择,他们永远是米开朗基罗心头上"甜蜜的负担"。

1510 年 4 月,米开朗基罗接到哥哥李奥纳多死于比萨的噩耗,

死时才三十六岁。米开朗基罗的父亲也曾经因一时虚荣，做出让米开朗基罗生气的事。就在这年秋天，传来波那罗托生重病的消息，米开朗基罗和这个弟弟的感情最好，急忙要父亲去银行领钱为波那罗托治病。那时教皇原本答应要付五百个金币，却没有兑现，人也离开罗马了，米开朗基罗身边没钱，暂时不能回家探望。但是波那罗托的病一直没有好转，米开朗基罗决定赶回佛罗伦萨处理。

在他回家的同时，他父亲刚好接受一个刑事执法官的职位（为期半年），地点在佛罗伦萨南方不远的圣卡下诺小镇。他父亲除了可以定犯人的罪，还要负责小镇的防备工作，算来权位不低，于是想添些行头，好让自己风风光光地走马上任。他没有告诉米开朗基罗，就趁领钱为波那罗托看病的当儿，也领了一笔供自己花用。

米开朗基罗把一些钱存在圣母玛利亚医院（在当时既是医院，也兼有银行的功能），这些钱除了养家，还要支付西斯廷教堂湿壁画的费用。米开朗基罗不是讲究排场的人，因此觉得父亲钱没有花在刀口上，忍不住生气。他父亲回答："你信上说你大概还要六或八个月才回来，所以动用这笔款子之前，我盘算着在你回来前就补进去，那时候我的职务也结束了。现在你别生气，我把手边的东西卖一卖，把钱补进银行好了。"米开朗基罗有没有让他父亲这么做不晓得，但值得庆幸的是波那罗托的病情很快好转了。

米开朗基罗写了一首《画西斯廷教堂有感》的诗:

窝在这个洞穴里,使我长瘤,
好像来自伦巴底臭水沟的猫儿,
它们或许可以到别的地方去,
而这洞穴使我腹部紧贴在颚下。

我的胡子朝天,我的颈背下倾,
压在我的脊骨,使得我的肋骨——
明显得像一把竖琴;
画笔上滴下的颜色,
在我脸上形成缤纷的图案。

我的腰缩向腹部,好像压杠杆,

我的臀部像马臀，

支撑我全身的重量。

我的双脚，

盲目地在空中晃动。

我身体前半部的皮肤松垮垮，

背后的筋肉却因为经常弯曲，

变得又紧又硬。

从侧面看来，

我把自己绷成一张

叙利亚的弓。

我知道，错误和古怪的来源，

一定是脑与眼歪斜的结果，

我因为疾病，可以瞄准歪斜的枪。

那么，吉奥凡尼！来吧，

试着解救我那死气沉沉的画，

和我的名声；

因为我惹人厌，

而绘画更使我蒙羞。

从这首诗里，似乎可以看到一幅景象：在靠近天花板的脚手架上，一个为了适应狭小空间的画家，将自己的身体做很不自然的扭曲，颜料像小雨滴，滴在他的脸上，让他像只花脸猫。他的胸前肋骨像竖琴，似乎可以用手去拨出乐音，他的背又因长年的弯曲，活像一张弓。头总是歪斜着工作，两眼直盯着画面，也盯得歪斜了，如果拿着枪要瞄准，恐怕连枪都要拿得歪歪斜斜才会准。这首诗有点诙谐，更多的是无奈，多少人能捱得住这种折磨？

如果让文艺复兴时期的三杰站在一起，右边达·芬奇那优雅的丰采，左边拉斐尔那俊秀的模样，都会让人眼睛一亮，而中间的米开朗基罗，可能会让人和糟老头的形象联想在一起，这时候的米开朗基罗不过三十七岁。西斯廷教堂天花板的画，把他的精神与肉体都折磨得非常疲惫。这首诗用“臭水沟的猫”、“竖琴”、“马臀”、“叙利亚的弓”来形容他自己，可以说是很沉重也很贴切，也许当他照着镜子，都会对自己产生厌恶感。

米开朗基罗常写家书给他父亲或大弟，信末的署名一律用“雕刻家米开朗基罗”，可见他多么以“雕刻家”这个身份为荣。雕刻是他一生的最爱，不过他怎么也没想到，他认为会让他羞惭的画，竟然和他的雕刻一样名垂千古。他窝在那个和洞穴没两样的天花板工作的那四年之间，是处在一个政治情势紊乱的时代，意大利邦国之间，还有邻近国如法国、西班牙等国之间，常有烽火，像教皇朱里亚斯二世就常南征北讨，有“战袍教皇”之名。

政治、社会局势不安定，1512 年初，法军一路南下，进行了战况惨

烈的“拉文纳之役”,战场上躺了一万两千多具尸体。之后,法军进逼罗马,罗马恐怕有被劫掠一空的危机,有些主教求教皇与法军言和,有些则劝教皇应离开避难。米开朗基罗非常忧心。他回顾自己在这里已经花了三年多的心力,如果毁于战火实在太可惜。何况一般人都以为他是教皇跟前的红人,如果敌军冲着教皇来,他当然会被牵累。在那人心惶惶的时候,他真不知道自己该何去何从。

啊!艺术,是一帖让人忘却世俗苦痛的良方,米开朗基罗把这个世界带给他的那些纷乱,都一股脑抛洒在彩笔末端行走吧,用艺术的心灵来诠释人生,所有苦涩、悲惨,都以“入木三分”的笔力,挥洒在西斯廷教堂的穹顶!因此,外头乱纷纷,教堂的脚手架上,不朽的杰作在汗水中一寸寸画出来。

幸运的是法国将领迦斯东战死,法军士气大减,罗马安全了。不料过了几个月,却换成佛罗伦萨有难,这次是西班牙的军队,由将领卡多纳率领,他们训练精良,又有许多作战经验,来势汹汹,眼看卡多纳的军队再两天就会到达佛罗伦萨了。

那时教皇和他的盟军准备拉下执政官索德里尼,要让流亡在外的梅迪奇家族的儿子回来治理。米开朗基罗非常忧心家人的安危,在给他大弟的家书里说:“听说佛罗伦萨的情况非常混乱,你们应该撤到比较安全的地方去,不要带太多东西,毕竟生命比财富重要!关于佛罗伦萨的事情,不必去谈论它,也不要身陷其中,要像避瘟疫一样,走为上策。”

不过,米开朗基罗没想到佛罗伦萨的情势竟然很快缓解,因为索德里尼送钱给西班牙人,希望借此保住自己的执政权。卡多纳把钱收下,答应不动用武力,只是他坚持要索德里尼下台,让梅迪奇家族重返政坛。索德里尼逃往西耶纳,洛伦佐的儿子朱里亚诺·德·梅迪奇上任。

纵观米开朗基罗一生中,有几次因为政治因素,必须为生命的安危而担心。身为一个艺术家,最希望拥有不受干扰的时间与空间,能够在自由宽广的艺术天地里优游。可惜,米开朗基罗一生当中,很少有机会享受到这种日子,当他决定走上艺术这条路,似乎种种磨难就在前面等着他。政治上的纷扰、家里人无止境的问题、工作上委托者的跋扈、不守信和还有助手们来来去去的问题,都是他得在艺术工作之外去应付的,繁杂而劳心。糟糕的是,他的健康问题也常困扰着他。

教皇朱里亚斯二世不惜动用干戈也要召他来罗马,但是他并没有提供良好的居住环境给米开朗基罗。米开朗基罗的工作室兼住房,坐落在圣卡帖利娜教堂后面的一条窄街里,工作室不大,要放置画具、颜料等物,还要兼助手们居住的地方,实在是非常拥挤。

工作上,米开朗基罗要承受精神和肉体两方面的压力,所以身体非常不好,那时又常有瘟疫流行,因此在第二年(1509 年),佛罗伦萨就有人谣传他已经死亡的消息。他写信给他父亲说:“我对这里很不满意,健康情形很不好,工作又很辛苦,没有人照顾,又缺钱。但是我坚信神会帮助我的!”看来他的生存条件很差,还好他有坚定的信

仰，凭借他的信仰和对艺术的执着，才能熬下去。

教皇对进度很在意，又老是忘了支付该给的钱。米开朗基罗除了当个艺术家，还要当个精于计算的“当家者”，米开朗基罗个性中许多矛盾、冲突的地方，大概是这些现实的问题日积月累而渐渐形成的。

听说米开朗基罗在画作完成之前，不喜欢让人看到，偏偏教皇很想看。有一天晚上，教皇偷偷去看，米开朗基罗用木板往教皇身上砸，教皇落荒而逃，心中很忿怒。米开朗基罗担心教皇对他不利，还潜回佛罗伦萨避难。

其实教皇根本不必急，因为米开朗基罗比他还急，一股鬼魅般的工作狂热催逼着他。在生活上，米开朗基罗似乎没有什么娱乐，他原本就是个不拘小节的人，全心投入工作以后，连个人的基本卫生也不管了。米开朗基罗的朋友孔迪维观察了他的生活情形后，写下这些文字：“米开朗基罗睡觉时往往就穿着他那八百年没脱过的衣服和靴子……有时候因为穿太久了，脱下靴子时，皮肤就像蛇在蜕皮一样，跟着靴子一起脱落。”

也许心中那股狂热燃烧得太炽烈了，他完全忽视了脏、臭，还有“剥皮”之苦，的确，他的脑神经一定处在疲惫却又亢奋的情况下，上下脚手架费时又费力，不如尽可能地留在上面工作。“废寝忘食”大概就是他卯起劲来工作的写照，对于食物他也非常不讲究，像印度的苦行僧，进食只是为了生命的持续，所以他说：“我几乎没有时间去进食滋养的东西。”

米开朗基罗不大与人做休闲式的社交,大部分的时间,他都处在孤独的自我世界里,他说:"我根本没有朋友,我也不想去结交,我不希望任何人来打扰我,因为我会受不了!"也许就是这种能与"孤独"合而为一的个性,让他在艺术的领域里屡创高峰,为世界留下许多珍贵的遗产。

1510年的8月15日,也就是"圣母升天节",前半部的拱顶画终于要举行揭幕典礼。典礼非常隆重,大家对米开朗基罗都很期待,果然,他的作品得到"绝妙新风格"的评价。接着,后半部的脚手架建好之后,米开朗基罗开始了后半部的绘画。

终于,在1512年10月,米开朗基罗完成了西斯廷教堂的拱顶壁画,教皇迫不及待的带人去观赏,这一大件作品的完成,轰动了整个罗马,人们如潮水般拥来,赞叹声不绝于耳,盛况甚至超过《大卫》完成时在佛罗伦萨造成的轰动。

米开朗基罗太疲惫了,他的身体佝偻、发色粗糙,眼睛在不正常的光线和角度下工作而显得涣散。他一身旧衣,和人群走着相反的方向,慢慢踱回圣卡帖利娜教堂后面那个窄小的工作室。教皇朱里亚斯二世忙着接受颂赞,他在喧闹声中暂时忘了那个孤僻、傲慢的艺术家;而在窄小巷弄里散步的艺术家,很高兴暂时可以摆脱那个跋扈、残暴的教皇,他的脚步在僻静的巷弄里,响起千古不灭的跫音。

这个身影,用他顽强的意志力,完成了一项"不可能的任务",为后人留下一个独特的风范。

从天而降的《创世记》

如果有机会仰躺在西斯廷教堂往上看,米开朗基罗所绘的《创世记》,就会像从天而降的一幅缤纷大画,画中的人物形象鲜明的浮在那里。有人说米开朗基罗有一双鬼斧神工的手,一点都不夸张。上面的人物共有343个,其中有一百多人比真实的人体大两倍左右,这些人体大多属于英雄型、大力士型的,米开朗基罗用粗犷的笔触和夸张的造型,凸显人体的力与美,其中有不少是他擅长的裸体画。

原本西斯廷教堂的天花板只是一片平的圆弧形画面,几乎没有什么装饰,依米开朗基罗的构想,那一幅大画中,每一个不同的主题之间应该有些区隔,于是他采用虚拟的建筑结构来表现,那些虚拟的结构包括:檐板、壁柱、拱肋、托臂、女像柱、宝座、壁龛等。这些虚拟的结构,可以让整个画面具有立体感,人们在地面往上看,会以为真的有这些结构存在。此外,还可以把不协调的三角档、拱肩、弦月壁和拱顶其他地方结合起来,天花板的全部范围就有整体感了。

整个天花板中间长长的地带,是西斯廷教堂拱顶画的主体画,由九幅画组成,其中每三幅构成一组,米开朗基罗以虚拟的檐板将它们和其他画域隔开。从教堂最里面的祭坛上方看起,依序是:

划分明暗:上帝高举万能的双手,用神奇的力量划分了光明与黑暗,上帝指端的白云狂卷如浪涛,表示浑沌初开,不久后他所创造的人类就要跃上历史的舞台了。

创造日月:上帝伸展双臂,与身体成十字状,日与月分别在他左右手的指端出现。画面充满力量,气势万钧。

分开水陆:上帝从云端凌空而下,有翱翔之姿,似乎能穿越古今,能上山下海,发挥他伟大的创造力。米开朗基罗利用“仰角透视法”画上帝,如此一来,人们在教堂里做礼拜时,无论走到哪里,都会觉得上帝正看着他。

创造亚当:上帝创造人类的始祖亚当,亚当被画成健美的青年,画中上帝把手伸向亚当,指尖几乎要和亚当的指尖碰在一起,象征他赐予亚当生命与力量。

创造夏娃:纯洁、美丽的夏娃在画面当中,弓着身体,合掌面对着上帝,上帝举出右手,好像在赐给她一些祝福。而亚当则在一角沉睡着。

失乐园:这一幅也叫作“堕落和被逐出乐园”,米开朗基罗把在伊甸园里采食的亚当、夏娃,和被天使逐出伊甸园的亚当、夏娃分别画在两边,中间以果树和缠绕的蛇隔开。可以看得出来,伊甸园里的他们非常年轻、健美，一出了伊甸园就显得衰老许多。

诺亚祭坛：依历史先后，这个位置应该画大洪水，但因为洪水的场景需要较大的面积，所以先画“诺亚祭坛”。大洪水后，诺亚设一座长长的祭坛，上面摆着祭品，向上帝表示感激之情。

大洪水：因为人类太堕落，上帝用洪水惩罚人类。洪水淹没大地，人类互相扶持，想躲过这场灾难。

诺亚醉酒：大洪水过后，诺亚重新耕种田地、饲养牲畜，还种葡萄来酿酒。画面上是喝醉酒的诺亚，把衣服脱光睡在酒桶旁。画面左方也有一个衣冠整齐、正拿着锄具在做工的诺亚。米开朗基罗似乎要告诉世人，即使正直如诺亚的人，偶尔也有堕落的时刻。

在九幅主体画与十二个三角档之间的空白处，米开朗基罗画着成对的裸体男，总共有二十个；主体画周围画成壁龛，米开朗基罗在壁龛里画了十二个男女先知，就是俗称的“预言者”，这些先知们的身体画得相当巨大，几乎是真人的两倍，比其他人物都来得大，画面中的小天使，更衬托出先知们的巨大。

当时的画家常把委托人放入画中，教皇朱里亚斯二世是个性极端鲜明的人，米开朗基罗在画先知撒迦利亚时，就以教皇为模特儿，把教皇的光头、鹰钩鼻、胡须、严峻的神情等都画出来了。至于先知杰里迈亚，头发蓬乱，神色悲郁，用右手撑住脸，一般认为这是米开朗基罗的自画像，他为自己的工作而烦忧，更为纷乱的世局而烦忧。

天花板四个角落的三角档，分别画了“大卫和歌利亚”、“茱提斯

与奥罗菲尼”、“铜蛇”、“比尼恩和亚曼”。“大卫和歌利亚”,画的是勇士大卫正要割下劲敌歌利亚的头颅;“茱提斯与奥罗菲尼”,画的是犹太女英雄茱提斯假装服侍亚述将军奥罗菲尼,却趁奥罗菲尼酒醉的时候把他杀掉,因此保全了她的城市的故事。

“比尼恩和亚曼”,又称为“亚曼的惩罚”。比尼恩是犹太人,隐藏身份嫁给国王亚哈随鲁,宰相亚曼假国王之名,下令杀光所有犹太人。比尼恩向国王坦承自己的身份,国王马上撤销命令,并将亚曼处以绞刑。

“铜蛇” 画的是摩西率领犹太人逃离埃及,在旷野中缺粮缺水,人们埋怨上帝,上帝派毒火蛇咬他们,他们抱怨,又招致更多的苦难。上帝命摩西制造铜蛇,凡被蛇咬的,看到铜蛇就活了。

拱肩和弦月壁上画了“基督的列祖”,这是绘画中罕见的题材,米开朗基罗在每个小区域中都画几个人物,有男有女,有大人有小孩,构成一系列家族画像,还在壁上的姓名牌上标出各人的身份。几年前有一位叫多尼的人,他正要娶妻,委请米开朗基罗画“圣家族”,在那幅画中,玛利亚席地而坐,大腿上还搁着一本书,背后约瑟正要把基督抱给她,呈现和乐的家居生活,可以让新婚夫妻挂在家里,做为学习的模范。可是教堂拱顶的“基督的列祖”,却表现愤怒、烦闷、无聊等比较负面的情绪,就像不太和乐的家庭生活,家庭成员之间有许多冲突。这种表现手法似乎是米开朗基罗家庭的写照。

整个《创世记》的大画里,米开朗基罗画的是神造万物的过程,还有万物形成后的世界——一个有灾难、有战争,充满悲欢离合的世界。人类要在这个世界接受种种考验,透过信仰、学习等,了解生命的真义。

由于《创世记》的构图灵感,有很多来自但丁的《神曲》,这位与米开朗基罗同乡的前辈,是文艺复兴的先驱,有人说他是“中世纪的最后一个诗人,同时又是新时代最初的一位诗人”。《创世记》完成以后,米开朗基罗写了一首《咏但丁》的诗,为这件艰巨的工作画下一个欣慰的句点,字里行间可以看出他对但丁的推崇,以及对自己的期许,他写道:

他的精神来自天堂,
却具有凡人的躯体,
行走在正义和仁慈的领域,唤醒世人,
凝视着神,要
他定下真理,
那真理,清晰如白昼。

那颗纯洁的星闪烁着明亮的光芒,
我诞生在和我不相称的巢,
整个辽阔的世界将是被轻视的奖品,
除了造物主,没有人可以得到报酬。

我说但丁,他留下伟大的作品,
不知感谢的人既不认识他,也不尊崇他,
他只给予拒绝报酬的正人君子。

但愿我就是他!
因喜爱缠绵的痛苦而生,
伴着他的良善,不顾被放逐,
我愿快乐的改变世界上
最好的遗产。

完成西斯廷教堂的拱顶画,米开朗基罗暂时松了一口气,不过,教皇朱里亚斯二世却生了重病,在拱顶画完成后四个月左右就驾崩了。教皇在临终前签下合约,让米开朗基罗负责雕饰他的陵墓。根据合约,他必须在七年内为教皇的陵墓完成三十二座大型的雕刻。米开朗基罗很高兴又可以拿起榔头和凿子,敲出他思念的"当当锵锵"之声。他先雕了两尊雕像,分别是《垂死的奴隶》和《被束缚的奴隶》,经过四年奴隶般不自由的生活,米开朗基罗用这两尊雕像来抒发抑郁的心情。

接着,他着手雕刻《摩西》,摩西是《圣经》中的人物,是古代犹太民族的先知,曾率领族人脱离埃及法老的奴役,并且为犹太人立法。他和大卫一样都是民族英雄,因此米开朗基罗运用雕刻《大卫》的手法,摩西被塑造成半神半人的形象,具有英勇果决的神态。摩西像采取坐姿,而且没有放在壁龛之中,让人们可以从不同的角度欣

赏。摩西的头上有两只象征神的角,眼神透显着坚定的个性,卷曲的胡须在胸前垂着,整座雕像表现出宗教领袖圆熟的气质,令人肃然起敬,被艺术家誉为“近代雕刻的最高成就”。

米开朗基罗很想一鼓作气,把罗威尔家族(原来教皇朱里亚斯二世的家族)委托的陵墓完成,但是继任者是皮埃罗·梅迪奇,他希望米开朗基罗能为梅迪奇家族做些事。皮埃罗就是创办圣马可学院的洛伦佐·梅迪奇的儿子,二十年前梅迪奇家族失势的时候,他逃离佛罗伦萨,现在他又得势了,还当上了罗马教皇,他的法名叫“利奥十世”。因他的得势,梅迪奇家族重新执掌佛罗伦萨的政权。

利奥十世把米开朗基罗找来,叙旧一番之后,提出要求说:“亲爱的朋友,我为你找了一件很有意义的差事,我想你一定很愿意去做。”

米开朗基罗不认为皮埃罗会想出什么有意义的事,战战兢兢地问:“什么事,陛下?”

“我们梅迪奇家族一向待你不薄,而你又是佛罗伦萨人,我听说你很爱国,在佛罗伦萨的圣洛伦佐教堂的墓园里,有一座梅迪奇家族的地下墓室,我决定重新把它整修一番,好让这座教皇家族的灵魂栖息处,能够有个体面的门楼,我希望由你来设计、督导,这会为你带来更高的荣誉。”

“陛下,很高兴您看得起我,但是我和教廷还有合约,我必须完成三十二尊雕像,那是一项巨大的工作,我想我无法兼顾!”米开朗基罗忙推辞。

“米开朗基罗，我已经帮你想好了，我让你回佛罗伦萨去工作，你一边设计墓室的门楼，一边做这里陵墓的雕像，做好再运送到罗马来。”利奥十世得意地说。

米开朗基罗默默地接受，他知道即使有天大的理由，新教皇也不会放过他。这些年来，他已经学会忍受这种“身不由己”的待遇了，他更加觉得自己跟奴隶没有两样。

接下来的几年，米开朗基罗大部分的时间都在山上领导大理石的开采。前后两任教皇都是要为他们显赫的家族留下伟大、不朽的纪念性作品。米开朗基罗是位雕刻家，他对石头有十足的敏锐度，因此从源头的探勘、采石工作，他都全程参与。

卡拉拉山区产的大理石，是公认的好石材，米开朗基罗很喜欢用那里的石头，也和那里的采石业者熟稔，不管是采石、买卖、运输等，他们都有相当的默契。

本来米开朗基罗已经在卡拉拉山区开采一些大理石，却突然接到教皇的命令，教皇要他到彼得圣塔山去开矿。那座山非常陡峭，大理石的运输是更大的挑战，教皇并没有考虑到开采的困难度，也不负担额外增加的费用。那里的山村很偏僻，石匠根本不懂大理石的质地和开采要领，即使从佛罗伦萨来的石匠也无法待下来，浪费好多工钱和时间。

有一次，他们要把一根大理石柱由沟渠搬到马路，结果一个不小

心,几个工人受伤,有一个颈子折断,当场死亡,米开朗基罗自己也差点没命。又有一次,他们要利用吊环把石柱吊下来,由于承包的人没有用好的铁去铸造吊环,以至于吊环断裂,整根石柱笔直掉入河中,摔个粉碎,石柱报销了,站在附近的人都差点被压死。

更糟的是,米开朗基罗和卡拉拉经营石头买卖的组织产生了一些误会,因为石矿是当地重要的经济命脉,从开采到运送可能都自成一个产销链,他们已经准备大赚一笔,天晓得一纸命令改变了整个情势,他们把罪过推到米开朗基罗身上。得罪了当地人,就雇不到当地的船来运输已经开采的大理石,必须到更远的地方雇船,耗时又耗财,也增加了不少风险。米开朗基罗得到处奔波、请托,常常弄得筋疲力尽。吃过千万种苦的米开朗基罗,在这种情况下,也感到非常孤独无助,写了一首《求助的祷告》,虔诚地向上帝求助。他写道:

哦,主啊,无论我去何处,都让我见到!
如果必朽的美丽燃烧我的灵魂,
那个火焰接近时必须熄灭,
而我唯有的爱得以放光芒。

亲爱的主,求助我克服这苦恼,
这些折磨使我精神受干扰且感到疲倦,
唯有带来新力量,
能够振奋我的意志、我的感觉,

和我那疲惫衰颓的勇气。

赏赐神圣的灵魂给凡间的我，
却拘禁在我这软弱不坚的躯体里，
——那生活是多么悲惨！

如何能使它的命运比我更不恶劣？
主啊，如果没有，
所有的好处似乎都枉然。
改变命运的是特权。

入山采石的这段时间，米开朗基罗的日子简直是疲于奔命，除了卡拉拉、彼得圣塔山区，他还常要回佛罗伦萨，或去比萨等地接洽运送大理石的事情，艺术创作的量少了。

等他回到佛罗伦萨，圣洛伦佐教堂正门的工程却延搁下来，因为朱里奥大主教要米开朗基罗做梅迪奇礼拜堂的雕刻。不过事情还没开始，不久，教皇利奥十世驾崩，由新教皇亚德利安六世继任，不到两年，这位教皇也驾崩了，由朱里奥大主教继任教皇，法名改为“克里门七世”。

新教皇一上任，马上要米开朗基罗开始梅迪奇礼拜堂的工作，还要他设计一座新的图书馆。然而，已故朱里亚斯二世教皇的遗嘱执行人佛兰西斯果公爵，却催促米开朗基罗履行雕刻朱里亚斯二世陵

墓的工作,否则要索回先前支付的一些费用。现在米开朗基罗真是左右为难,他心中一直想做的就是教皇朱里亚斯二世的陵墓,这项工程的合约一直有变化,而新教皇要他去做圣洛伦佐教堂的正门。短短两三年之间,两位教皇驾崩,最新继任的教皇又出新任务,还拿“终身俸”(每个月五十个金币)来利诱他。

米开朗基罗怎么也没想到,教皇朱里亚斯二世陵墓的工程,会成为他一辈子的噩梦,因为他一直没有机会专心去做。后来这件事还闹上法庭,这件工程的合约就这样几度删删改改,工程也时做时停,终于在 1545 年才勉强完成。整个陵墓工程,从 1505 年开始,那时米开朗基罗才三十岁,到完工时竟然已是七十岁的老人。更令他遗憾的是陵墓和他当时宏伟的设计完全不同,他原本构想的三十二个雕像,只完成三个。

他写信给一位居中调解纠纷的主教,把这件事的来龙去脉都陈述得很清楚,最后,他不无牢骚地写道:“我认为我的损失和利息加起来,教皇朱里亚斯二世的后裔欠我五千个金币。而那些拿走了我的青春、我的荣誉和我的财产的人,竟说我是一个贼!”是的,青春无价,米开朗基罗耗了许多时间和精力在陵墓上,谁能给他合理的补偿?

1504年，达·芬奇与米开朗基罗曾有机会在同一个舞台较劲，可惜米开朗基罗被当时的教皇朱里亚斯二世召至罗马，达·芬奇也在不久后接受法国驻米兰的总督邀请，再度前往米兰。说邀请是比较好听，其实达·芬奇和米开朗基罗一样，有时是因为政治上的利害关系，身不由已的必须奉召而去。

达·芬奇在米兰居住数年，贡献不少心力，终于获得国王的赏赐——优渥的养老金和"王室画家"的封号。此时，达·芬奇已经近六十岁，他把米兰当作第二故乡，本想在此安度晚年，可是米兰战火又起，达·芬奇只好带着弟子奔赴罗马，当他抵达罗马，正是1515年的冬天。不过一向和达·芬奇气不相投的米开朗基罗，从卡拉拉山开采大理石回来，听闻此事，心里可不太高兴。

这两位大师再度相逢，彼此的关系并没有改善。有一次，米开朗基罗不屑地说道："一个米兰的诗琴手，当他的法国靠山被赶走以

后，竟然跑到神圣的罗马来了！”

虽然没有指名道姓，大家都听得出来是在讽刺达·芬奇。

教皇知道米开朗基罗不喜欢达·芬奇，刚好外面又谣传达·芬奇常常去停尸间拿无名的尸体解剖，还把人的脂肪用来熬成汁，再加入颜料中，甚至用来画圣像……这些谣言传到教皇和主教耳中总是不大好，渐渐地他们不太重视达·芬奇了。

新上任的法国国王弗朗索瓦一世，带兵越过阿尔卑斯山，轻易地攻下米兰，也战胜了教皇利奥十世。当他在米兰的格雷齐修道院看到达·芬奇的壁画《最后的晚餐》时，大大的惊艳，他询问艺术家和工程人员，如何把这幅画带回法国？大家都说那是不可能的，这位气势正旺的国王竟然说：“既然我们没办法把画移走，那我们把画家带走总可以吧！”他马上派人送一封书信到罗马给达·芬奇。

此时达·芬奇已经感受到教皇对他的不满，甚至也感觉到罗马人对他并不友善，接到法王的书信，他就收拾行囊，踏上遥远的路途。达·芬奇的离开，让拉斐尔异常难受，他似乎意识到一位大师的出走，其实是国家的一大损失。

达·芬奇受到贵宾的待遇，法兰西国王将他安置在阿布阿兹的离宫，那里是一片辉煌的宫殿，国王在那里养了一万八千匹骏马，做为皇室成员寻欢作乐之处。而达·芬奇温柔敦厚的态度、稳健的谈吐、朴实却不失高雅的衣着，影响着宫廷的人们，成为他们学习、模仿的标杆，尤其是“达·芬奇式的红色斗篷”，更是蔚为风潮。

国王给达·芬奇优厚的养老金，并馈赠给他一座城堡，叫作克鲁堡，这位一生在多处飘泊的艺术家终于有个安居之处。可惜达·芬奇的手已经不能再多做画了，他从故乡带了一些作品出来，包括闻名的《蒙娜丽莎》。

达·芬奇在克鲁堡过着简单朴实的生活，他常去散步，思考研究信仰与自然的关系。两年后(1519 年)，达·芬奇六十七岁，安详地逝世于异乡，“一日充实，可以安睡；一生充实，可以无憾”是他遗嘱中的名句，也算是为他自己的一生下一个注脚。

达·芬奇逝世的消息传回意大利，米开朗基罗也为之震惊，虽然他们老是话不投机，对雕刻和绘画的观念又有点针锋相对，可是他们同为佛罗伦萨人，同样具有很高的艺术才华，却被历任教皇所奴役，不能自由自在地创作，还常在异乡飘泊！米开朗基罗揣测达·芬奇晚年过得虽然安逸，但心灵上一定很孤独。

米开朗基罗没有料到的是，另一个才华出众的艺术家拉斐尔，竟然在达·芬奇过世后一年患了一场热病而死，死时不过三十七岁。拉斐尔的死，更令人震惊，因为他是那样的年轻。米开朗基罗似乎总是拒拉斐尔于千里之外，但是他们同时在教皇的宫廷工作，工作的地点相距不远，难免有人拿他们的作品比较，米开朗基罗应该有所听闻，何况他知道拉斐尔私下在学习他的风格，这样一个生命的消逝，谁能不为之唏嘘！

米开朗基罗被梅迪奇家族和朱里亚斯后裔两股势力拉扯着，要他完成他们委托的工作，他意识到“岁月不饶人”这个铁则。不管是雕刻、绘画，或亲自指导开采大理石，都让米开朗基罗有“过劳”的现象，显得未老先衰。四十多岁的他已感觉到力不从心，无法承揽所有的工作，他决定先完成梅迪奇教堂和圣洛伦佐的图书馆。

米开朗基罗为了加高梅迪奇教堂的圣器室圆顶，请一个金匠为他制造七十二个小平面，结合成大圆顶。另外，在圣器室里面造了两座墓穴，用来承装教皇两位祖先乌必诺公爵洛伦佐和尼莫斯公爵朱利安诺。

工程进行当中，却发生了战事，这件战事再一次让米开朗基罗与梅迪奇家族有了爱恨情仇的纠葛。1527 年，德皇卡尔五世结合西班牙人攻入罗马，大肆劫掠，这时候佛罗伦萨人又因不堪梅迪奇家族的统治，趁罗马战乱的时候，也发动起义，当时的执政者依波里特·梅迪奇被放逐了，起义者组成一个自由共和国，人民拿起武器走上街头，高呼着“自由、自由”。新政府决定加强防御工事，他们任命米开朗基罗担任防卫工程的指挥官。

米开朗基罗在几个重要的地方筑起防御工事，在圣密利亚托山丘上建一座环棱堡，用栗木和橡树的盘根错节，以及未经过焙烤的麻屑泥砖，这种组合很新很牢靠。因为圣密利亚托山位于制高点，如果这个堡垒被敌人攻占，整个佛罗伦萨就会沦陷。

筑防御工事以等待敌人与艺术创作同时进行，说起来有点诡异，但是命运如此安排，米开朗基罗也没有办法。当时的政局常处于纷乱之中，年纪越大，他越谨慎于跟政治保持距离，也常告诫家人谨言慎行。个人的命运，常随着大环境的改变而改变，尤其是他的艺术成就，成为权贵们注目的焦点，他们对他予取予求，想从他身上压榨些艺术养分，为自己留些辉煌的纪念。

在筑防御工事这段期间内，他完成了一座很有艺术成就的雕像《圣母子》，圣母坐着，两膝相叠，圣婴跨坐在膝上，头部反过去倚向圣母胸前，在静态中有动态的美，一幅孺慕之情的图像自然呈现。至于那两座墓穴，米开朗基罗也有很好的规划，并且按着心目中的蓝图去实践。可惜战火燃烧到佛罗伦萨来了，讽刺的是，这次向佛罗伦萨一路攻击而来的是教皇克里门七世，也就是说梅迪奇家族再次反攻回来，并且还联合西班牙的军队向自己的故乡挺进，准备包围整个佛罗伦萨城。

祸不单行的是鼠疫也正肆虐城中，米开朗基罗的大弟波那罗托就死在这一次的瘟疫，他是米开朗基罗最喜欢的弟弟，他的死让米开朗基罗很伤心。但是围城的危机迫使米开朗基罗很快收拾起悲伤的心情，继续投入防卫工事。经过几个月，佛罗伦萨城无法再抵抗下去，举白旗投降了。与梅迪奇家族站在敌对立场的米开朗基罗，为了自身的安全，悄悄地又踏上逃亡之路。

梅迪奇家族重新执政，教皇克里门七世身为梅迪奇家族的一份子，他知道米开朗基罗的艺术才华更加高超，他颁布一道命令，赦免米开朗基罗的罪过，但是米开朗基罗必须继续梅迪奇礼拜堂的工作，以“将功赎罪”。对米开朗基罗而言，他参与起义的行列，是顺应民情；他受命为防御工程总指挥，是保家卫国，并不是故意与梅迪奇家族针锋相对。现在梅迪奇家族重返政坛，虽然不是他乐见的，但是身为佛罗伦萨的子民，能平安的回来故乡，从事他最喜欢的“当当锵锵”的工作，这也不失为一个好选择。如果他以一己的力量，要来对抗教皇，恐怕也只是惹来杀身之祸。

此时佛罗伦萨的执政者是亚力桑德罗·梅迪奇，据说是教皇的私生子，是一个凶残而疯狂的人。亚力桑德罗好像很“宽大为怀”的对米开朗基罗说道：“米开朗基罗，我原谅你在我们与共和军战斗时，站在共和军那一方，还担任防御工事的要角。现在你好好去为我们的梅迪奇教堂工作吧！”对于自己如此的际遇，米开朗基罗借着写诗来表达心中的感慨，他有一首诗写道：

身陷囹圄，无比忧伤，

铁拳啊，猛击着心灵之窗。

幻灭的梦想在脑海里盘旋，

我的手却情不自禁，

一锤锤地琢磨上帝的形象。

这几句诗写他自己其实跟囚犯没两样，总是不得自由，多少理想在脑中盘旋，可是现实中他无法一一完成，大多数的梦想都像泡沫般幻起幻灭。然而对艺术的狂热，促使他忘掉现实的残酷，双手不知不觉举起榔头，一锤一锤的，要将上帝的旨意荣显于人间。坚定的信仰是米开朗基罗创作背后一股很大的支撑力，支撑着他走过人间的风霜雨露。

在他不断的一锤一凿之中，梅迪奇教堂的圣器室有了恢宏的气势，他把象征人类在时间中的活动与思想生活，用几尊雕像表现无遗。壁龛中，乌必诺公爵洛伦佐以坐姿出现，他隐身在阴影中，做沉思默想状。下面他的陵墓上，是以《昏》和《晨》两尊雕像来搭配。《昏》是一个上了年纪的男性斜躺在陵墓的一端，身上的肌肉松弛而无生气，象征夜晚即将来临，白日渐渐消逝时，朦胧的光影里，很适合在静默中反省。另一端的《晨》则相反，米开朗基罗以年轻的女子为代表，那富有弹性的肌肉，洋溢着青春气息，宣告一天的开始。

尼莫斯公爵朱利安诺的雕像表现出英挺沉着、骁勇善战的姿势，他身披古代的盔甲，两手握着一根指挥杖，似乎随时可以起而备战。搭配在他陵墓上的雕像名为《昼》与《夜》。《昼》以一个壮硕的男性躯体来呈显，这个躯体其实尚未完成，可是从他扭曲的模样，让人感受到一股紧张的压力，象征白天的世界，是一个竞争的世界，整个世界是一个大战场，为了生存，每个人都要有战斗的精神。《夜》则是一个沉睡的美人，原本该是祥和宁静的夜，可是美人底下却出现猫头鹰和可怖的面具，象征噩梦随时会来干扰睡眠。这可能反映出米开朗基罗的心境，他身处在那种环境中，连夜晚都不得安宁。

雕像完成后，米开朗基罗的好友乔凡尼对雕像赞叹不已，就为"夜"写了一首诗：

夜，在你眼前酣睡着，
赋予这石美人天使的灵性，
生命的火焰在静谧中燃烧，
唤醒她吧！
聆听她美妙的话语。

米开朗基罗也写了一首诗来唱和：

睡眠是甜蜜的，
成为顽石更是幸福，

只要世上还存在着罪恶和耻辱,

不见不闻,无知无觉,

于我是最大的快乐。

因此,请别叫醒我啊!

说话请小声点儿!

由这首响应的诗,可以想见米开朗基罗心中的无奈,不但是整个意大利政局纷扰,让人有不安定感,他个人的生活,又常随着历任教皇的喜好而迁徙不定;在他抚摸大理石、为它们雕出形象的同时,他希望自己像大理石一样永远沉睡着,不要有人的任何知觉,就不必承受各种痛苦。

艺术研究者认为这些雕像,是米开朗基罗艺术风格上的一大转折,早期他的风格比较乐观、活泼,取而代之的是深沉而悲壮的风格。艺术风格的转变和个人生命的历程有相当大的关系,命运坎坷的米开朗基罗,在梅迪奇教堂的圣器室,展现他沉郁悲壮的命运交响曲。

柏拉图式的情谊

米开朗基罗认识了两位生命中重要的朋友，他们与他在精神方面非常契合：一位是罗马的年轻贵族汤马斯·卡瓦瑞利，一位是贵族女诗人维多利亚·科隆纳。

汤马斯的天赋很高，对艺术有独到的品位，很欣赏米开朗基罗的作品，让米开朗基罗受宠若惊。汤马斯不但个人的艺术涵养深厚，他的长相和身材更是得天独厚，被当代人誉为同辈中最完美的。米开朗基罗从年轻时对人体本身就有特殊的审美观，他常强调男性的力与美，他对裸体的刻划总是充满雕像般的立体感。

汤马斯的出现，无疑是他理想人物的真实版，他把自己的爱灌注在汤马斯身上。有人说米开朗基罗是同性恋者，就是因为他对汤马斯有一股热烈的情感。其实米开朗基罗对汤马斯的爱，应该属于“柏拉图式恋爱”[1]，算是一种“精神恋爱”。他就像伯牙碰到钟子期，引为

1 “柏拉图式恋爱”也称为柏拉图式爱情，是以西方哲学家柏拉图命名的一种异

"知音"。米开朗基罗给汤马斯的信上说:"如果真如您信上所说,欣赏我的作品,的确喜爱它,使我得遇知音,感到无比的光荣。"

喜爱写诗的米开朗基罗,以诗表达他对汤马斯的知遇之情,有一首《喜爱给予光明的人》如下:

借着你明亮的眼,我看见醉人的光芒。
因为我眼盲无法窥视;
借着你的脚,我支持了重担,
因为我的跛足发现它重得不胜负荷。

无翼的我,借着你的翅飞翔,
你的精神激励着我,奋力奔向穹苍。
我一会儿红光满面,一会儿脸色苍白,
在太阳下被烤焦,在冰天下被冻僵。

你的意志支配着我,也是我意志的主宰,

性间的精神恋爱,追求心灵沟通,排斥肉欲。最早由Marsilio Ficino 于15世纪提出,作为苏格拉底式恋爱的同义词,用来指古代苏格拉底和他学生之间的爱慕关系。柏拉图认为:当心灵摒绝肉体而向往真理的时候,这时的思想才是最好的。而当灵魂被肉体的罪恶所感染时,人们追求真理的愿望就不会得到满足。一位美国学者伊拉·瑞斯经研究后认为,柏拉图推崇的精神恋爱,实际上指的是同性之间的一种爱,也就是"同性恋"。古希腊人认为,同性恋的过程更多的是灵交、神交,而非形交。而在女性很少受教育的古希腊社会里,男人很难从女人中找到精神对手。这就是柏拉图偏重男性之间的爱情的原因。

你赐给我存在，你心中有生命的思想，

我的话开始随着你的呼吸而脉动。

我像月亮，无法独自发光，

除非有闪耀的太阳，

人们本来就是一无所有啊！

从这首诗可以看出米开朗基罗的心情多么雀跃，把汤马斯当成一个精神上很大的支柱。由于汤马斯对艺术的喜好，米开朗基罗曾经用黑色和红色粉笔，为他示范许多头像的素描。此外，还画了三幅画送他，更特别的是米开朗基罗为他画了一幅和真人一样大小的肖像画。后来，米开朗基罗还送了他很多壁画的草图。汤马斯珍藏这些画作，偶尔拿出来和其他艺术家共赏。

维多利亚是一位公爵的女儿，十七岁就嫁给佩斯卡拉侯爵，三十岁时侯爵去世，她成了年轻的寡妇。那个时代的贵族妇女，大多把时间和精力花在服饰和社交生活上面，维多利亚却勤于学习和阅读，因此当她和米开朗基罗认识后，两个人惺惺相惜，结为好朋友。维多利亚献身于学术与宗教的研究，大部分的时间都住在修道院里。

维多利亚非常欣赏米开朗基罗的作品，她对米开朗基罗说："每一件真正的艺术作品都是一件光荣的徽章，那是纯洁心灵的结晶。"

米开朗基罗回答："是的，夫人，艺术家不仅仅是一个聪颖的人，他们的生活应该尽可能的保持圣洁，他们应该更加笃信宗教，这样才

是名副其实的艺术创作者。”由此可见他们两人对艺术、宗教的观念很相近。

米开朗基罗和维多利亚交换不少诗作，有了这份友谊的滋润，米开朗基罗写诗很勤，其中有不少是他的杰作。有一首《模特儿和雕像》是这样写的：

当艺术之神孕育了形体和脸庞，
她吩咐艺术家为他的第一步尝试，
以黏土塑一个简单的模特儿，
这就是艺术之神怀中最早的产儿。

栩栩如生的大理石是第二步，
榔头带来了生命的光。
异常的美，美得令人不敢说时间将淘汰这
不朽的美。

因而，我生而为我自己的模特儿，
那个较高贵的自我为模型，那是——
夫人啊，我受你怜悯的感化而成形的！

任凭满溢或不足，你都会将之调和。
经你的教诲和磨练，
我的狂热应做什么苦修？

维多利亚的年龄比米开朗基罗大,从这首诗里面,可以看到米开朗基罗似乎在一位他所敬仰的长者面前,剖析自己对雕刻的使命感,也期望这位长者能为他做一番指教。从小失去母亲的米开朗基罗,碰到像维多利亚这样一位女士,他对她的情感应该是相当复杂的,维多利亚像他的母亲、姊姊,给予他温柔的亲情,但有时候又似乎有一点点异性的情愫,请看这首《美的变幻》:

嗨,爱,请告诉我,
当我看着我的她,
我的眼睛真正看见她的美,
或者存在我心的美,
把她的优雅幻化成万千?

你知道,因为你和成熟的她,
激起我心湖里的涟漪;
然而我将不避讳我的赞叹,
或者因为失去那爱的火焰而心更寒——

你目睹的美,全是她的,
透过俗人的眼睛,看见附在上面的灵魂而
展翅飞翔时,

它正灿烂的生长!

美在变幻,
因为灵魂使她拥有一切,
使她神圣,于是变幻的美赢得
你的爱。

如果诗中的“她”指的是维多利亚,那么他对她的感情,应该有爱情的成分,只是他们把爱升华为精神上的相互扶持;尤其在他们的交往期间,一派保守的宗教势力到处在搜捕“异教徒”,将异教徒送进监狱并施以酷刑,甚至执行“火刑”。维多利亚和她的一些朋友信的是自由的天主教,她被视为异教徒,米开朗基罗十分担心她的安危。

政治的不安定加上宗教气氛的诡异,让善感的维多利亚处在惊恐和忧虑之中,最后她得到一种群医束手无策的痉挛症,米开朗基罗接到病危的消息,急忙赶到圣塔安娜修道院,看着死神带走她。一个精神上那么契合的挚友,就这样香消玉殒,他不知该向谁控诉那些荒谬的血泪剧。

米开朗基罗为维多利亚写了一首哀悼的诗《消逝的火炬》:

与火相近而与火俱焚,
而今火已熄,不再燃,

我耗尽心中火，渐成灰，
这又何奇？

当火仍燃，我见火如是光华，
我从火光感受哀伤，
那种景象快乐流逝，
那死、那苦似乎尖锐至极。

但是既然上天已经剥夺了那
燃烧及滋养我的热情火焰，
也剥夺了我这块在灰烬底下闷烧的炭。

除非爱供给柴薪以燃起新的火焰，
否则我将灭绝，不见一点火星，
霎眼成灰，逝去！

米开朗基罗自比为炭，而维多利亚是那燃烧的火焰，他的生命原本是快乐地与维多利亚一起燃烧，在这个世界上发光发热；现在维多利亚走了，他的生命也跟着暗淡无光，甚至成为灰烬。茫茫人海中，何处再去寻找另一个维多利亚？

如果去争论米开朗基罗是不是同性恋者，并没有多大的意义，就他的整个人生而言，早年他几乎把时间和精力都放在工作上，他的情感寄托在创作上，而且他对宗教有一种狂热，有一些执着，让他对世

俗的爱情不是那么迫切去追求。后来他碰到灵性上能够相投合的人,他的情感有对象可以抒发,那种情感是比较超脱世俗的。

米开朗基罗特别要强调的是两个人之间灵性的结合,这种爱才是他想要的。因此,米开朗基罗的爱,应该是一种柏拉图式的爱,不管对象是男的还是女的。

米开朗基罗完成梅迪奇教堂的工作后，有一天，执政者亚力桑德罗邀请米开朗基罗，两人骑着马在佛罗伦萨做一番巡礼，对着被战事洗劫过的许多残破的景象，亚力桑德罗竟然说："既然你是建筑防御工事的专家，你看看我们还有什么地方需要加强。战争好像一局棋，我想知道当时你们的攻守计划，让我知己知彼，才能百战百胜。"

米开朗基罗深深为佛罗伦萨的人民感到悲哀，有这种好战的执政者，恐怕战事又要再起了。米开朗基罗不悦地回答："那时是为了保卫国家，我才参与那些工程，现在我们国家需要的应该是民生的建设。而我，米开朗基罗，是一个雕刻家，陛下还是让我好好去雕刻吧！"

两人不欢而散，米开朗基罗只好再次出走到罗马去，朱里亚斯二世陵墓的工程尚未完成。教皇克里门七世知道他回到罗马，很快就召他到西斯廷教堂，要他为西斯廷教堂祭坛的那一面墙壁作画。米开朗基罗抬头看看天花板的拱顶画，想到那些辛苦的日子，屈指一

算,距离现在已经二十三年。他没有权利拒绝,庆幸的是在墙壁作画比在天花板作画轻松一些。

拱顶画画的是《创世记》,米开朗基罗思考了一番,决定墙壁上要画《最后的审判》,这也是《圣经》里的故事,当然他的灵感还是来自但丁的《神曲》,他要以《神曲》中的《地狱篇》来昭告世人,善有善报,恶有恶报,最后的审判来临了。

对克里门七世而言,审判提早来到,他突然因中风而驾崩。不久后,亚力桑德罗也逝世。继任的教皇是保罗三世,他出身于法纳塞家族,不是梅迪奇家族的人。米开朗基罗想趁机免除壁画的工作,可是保罗三世可不是省油的灯:“米开朗基罗大师,你的名声已经红透整个意大利,甚至欧洲其他地方,我早就注意到你,现在我有机会请你服务,你怎么可以拒绝?快把《最后的审判》的草图拿给我看!”

“身不由已”仿佛是米开朗基罗命运的罗盘一样,他默默接受命令。保罗三世很大方的任命米开朗基罗为梵蒂冈教廷的总建筑师、雕塑家和画家。

一切又从头开始,搭脚手架作为工作平台、找助手等等。由于是画在一面墙壁上,米开朗基罗整体的规划比较单纯,这幅画共花了六年的时间,比拱顶画多两年,主要是米开朗基罗年纪大,体力大不如前,而家人、助手的问题与老教皇陵墓的问题,依旧不时干扰着他,他必须分心去处理。

整个壁画的构图从上到下分成四个部分:

第一部分：最高处，连接《创世记》，米开朗基罗用两幅大小相同，左右均衡的画面，画出基督受刑和被处死时所使用的刑具。

第二部分：这是最主要的部分，描绘基督复活后，再度降临人间，正在对人类的善恶做最后的审判。基督在中心位子，挥动他有力的右手，看起来年轻、刚毅，且表现出大公无私的模样。圣母玛利亚在他右手下方，看他如何审判人类。他的周围则环绕着十二个门徒，以及一些带着殉教时受刑刑具的圣徒。

第三部分：一大群天使们吹响号角，唤醒亡者的灵魂，接受他们应得的审判，右边善的灵魂上升到天堂，左边恶的灵魂下降到地狱。

第四部分：这是最下面的部分，画的是地狱和地狱之河。在但丁的《神曲·地狱篇》中，地狱之河称为“亚开龙河”，河上有一个摆渡的人，他站在小船上，把恶灵渡过亚开龙河，把他们赶入地狱，那些人不断挣扎、抗拒，脸上显现出痛苦、绝望的表情。

《最后的审判》在当时算是创新的构图方式，整体呈现一种螺旋式的动线。它里面的人物有两百多个，那些人物都很巨大，而且笔触有雕刻般的立体感，和《创世记》的风格一致。在画中米开朗基罗把自己放进去，他化为一具干瘪的人皮，由基督的门徒之一圣巴多罗买提在手上。据说圣巴多罗买最后是以殉道结束生命，在艺术品中，他常被画成是提着自己人皮的模样，脸孔扭曲变形，状似遭受极大的痛苦。米开朗基罗把人皮画成自己，暗示他是一个在暴君手下为艺术而殉道的“殉道者”。

当米开朗基罗画到尾声的时候，保罗三世特别到西斯廷教堂参观，由于标准的米开朗基罗式人物多是裸体的，因此可见墙上一个个裸体的巨人悬浮着，当时有一位随行的司礼官叫赛斯纳，他认为画一大堆赤身露体的人在教堂这种神圣的地方，简直是亵渎上帝。他忍不住向教皇提出他的看法，米开朗基罗听了当然很不高兴，不过，并没有表示什么。没多久，有人匆匆跑去找赛斯纳，要他赶紧去看看壁画。当他再度进入西斯廷教堂，差点没气到脑充血，因为他被画在右下角，画成有一对驴子耳朵、又被蟒蛇缠身的地狱之神米诺。赛斯纳相当气愤，跑去向教皇申诉，希望教皇命令米开朗基罗改掉，可是米开朗基罗不愿意，这位司礼官的尊容就这样流传千古了。

这幅壁画在公元1541年揭开时引起轰动，但画中的裸体人物却引起争议，有一些人认为这是亵渎神灵，因此，教皇在某些压力下，指派波利捷拉去为所有裸体人物画上裤子，波利捷拉还因此赢得“裤子裁缝”的绰号。米开朗基罗从此不再踏进西斯廷教堂。

画完《最后的审判》，米开朗基罗以为从此和壁画说再见，没想到保罗三世请他为梵蒂冈保罗小礼拜堂画两幅壁画，分别是《圣保罗皈依图》和《圣彼得受钉图》。这两幅画的长与宽都高达六百多厘米，画中人物众多，构图独具匠心，对一个七十多岁的艺术家而言，算是壁画上完美的休止符。

1547年,七十二岁的米开朗基罗突然被任命为圣彼得大教堂的总监。这座教堂建造的过程非常冗长,而且历经许多建筑师之手。1503年,由第一个建筑师布拉曼特完成建筑计划,之后的设计师陆续做些改变。最近的一个建筑师是桑迦洛,他花了很多经费,可是设计出来的蓝图被米开朗基罗批评是“采光不足,外部排柱太多,既无古典世界健全的秩序性,又乏现代世界优雅动人的特质”。

原本米开朗基罗不想接这个烂摊子,他说:“我是一个雕刻家,不是一个建筑师!”但是当时已经病重的教皇保罗三世强迫他接受命令,还愿意给他优渥的酬劳。然而米开朗基罗拒绝酬劳,他说接下这份工作是“为了神的爱和对圣彼得的尊敬”。

如今最为人称道的是他为教堂设计的一个圆穹顶,这个圆穹顶周长71米,直径有42.75米,外观相当优美,气势看起来又很雄伟。圆穹顶旁有一条狭长的“之”字形楼梯,共有330阶,爬到最顶端,可以俯瞰整个罗马城。这个结构是精心计算来的，可见米开朗基罗在建筑上也很有才华。

其实，米开朗基罗之前已经设计过梅迪奇教堂的圣器室和圣洛伦佐图书馆。洛伦佐·梅迪奇对艺术和学术上的贡献，尤其他对米开朗基罗的提携，更让他带着崇敬的心去设计，圣洛伦佐图书馆有严谨的结构、和谐的对称，给人整体的感觉是堂皇而庄重。

在米开朗基罗生命最后二十年左右的时间，在建筑方面除了最具代表性的圣彼得大教堂的圆穹顶外，还完成其他作品，其中较为人称道的是"法纳塞宫" 的设计，这是保罗三世所属的法纳塞家族的宫室。经过米开朗基罗的修改后，不只是建筑外观上改变，连庭院的设计也略有改变，如雕像的摆设、喷泉的美化等，甚至还加了一座横跨泰伯河的长桥，让这个宅邸与另一个宅邸相通，处处可见米开朗基罗天才般的巧思。

就建筑设计上的成就来看，这种三度空间的艺术表现，更能发挥米开朗基罗广阔思维的天分，他把雕刻、绘画的艺术特质融入建筑。此外，有人说"建筑是凝固的音乐符号"，因为建筑中和谐的线条、体积所构成的黄金比例，就好像是音乐理论中的"和弦"，亦即表示他的建筑设计有音乐性。评论家更进一步认为他把诗歌创作的韵律和形式也运用上去，使他的建筑设计更增内涵。

在米开朗基罗建造圣彼得大教堂圆穹顶的期间，保罗三世驾崩，接着是保罗四世即位，他继续留在罗马工作。

在制作梅迪奇教堂圣器室雕像的期间，米开朗基罗因佛罗伦萨有军事危机而参与防御事务，他的大弟波那罗托在1528年死于瘟疫，三年后，他的父亲也因病去世，这两个人是他书信往来最多的家人，几年之间竟都撒手人寰，失去亲人的痛苦带给他很大的煎熬。

对于他的父亲和大弟，米开朗基罗有着很复杂的情感，基本上他会抱怨，但是对他们的爱又表露无遗。为了维持一家人的生计，他必须面对那些喜怒无常的教皇、大主教们，还得为了自己的权益跟他们哭穷、计较。他辛勤工作所得的酬劳，为父亲买农场租人，为弟弟们筹谋前途，还得为自己储存养老金。波那罗托死后，米开朗基罗把对他的爱转移到侄子李奥纳多身上，除了提供他生活所需，还谆谆教诲他，把他当自己的孩子看。

米开朗基罗的另外两个弟弟在他生前就相继过世，他也都尽到养他们到老死的责任。

米开朗基罗的侄女叫弗朗西斯卡，她在1538年出嫁，米开朗基罗给了她一笔丰厚的嫁妆。弗朗西斯卡嫁给一个叫迈可的人，米开朗基罗挺器重迈可，有些家族的事会请他协助办理。

侄儿李奥纳多是米开朗基罗最担忧的人，自李奥纳多小时候，他要弟弟们帮他督促李奥纳多，偏偏李奥纳多并不是一个很上进的年轻人，连写信都辞不达意，米开朗基罗几度要他好好学写信，否则就别写那些辞不达意的信让他费猜疑。有时候米开朗基罗难免恨铁不成钢，看到李奥纳多不长进，就威胁他不会把遗产留给他。

李奥纳多的婚事尤其让米开朗基罗操心，很难想象一个大艺术家为了侄儿的婚事，在家书里唠唠叨叨，不输一个啰嗦的母亲。可能李奥纳多是他们波纳罗蒂家族唯一的子嗣，米开朗基罗对他寄予厚望。

米开朗基罗一心要保持自己家族的荣耀，他对侄儿选妻的标准是：高贵而有教养，除了要贤淑之外，身体也要健康；此外，为了将来夫妻间的和谐，他认为没有嫁妆的比有嫁妆的好。（这可能与他的伯母有嫁妆，伯父死后为了索回嫁妆与家人对簿公堂有关。）几年过去了，许多人为李奥纳多介绍对象，他却没有中意的，米开朗基罗急了，在信中告诉他："娶妻不必计较嫁妆的多少，在这世界上，得到财富的机会俯拾皆是。至于想娶美丽的妻子，因为你又不是佛罗伦萨最英俊的男子，所以不必太苛求，只要女孩子不是残废和丑陋就行了。"

最后，米开朗基罗关心了七年的婚事终于搞定，他委托律师为李

奥纳多准备了一千五百金币的妆奁保证金，并且费心地为新娘卡仙杜拉选了两枚戒指当礼物。所幸，李奥纳多和卡仙杜拉结婚后相当幸福，也为波纳罗蒂家族添了子嗣，这才让米开朗基罗放下心来。

有人认为米开朗基罗是个小器的人，其实他对金钱的支配有他自己的一套观念。亲人的生活他始终负担着，但因为他不希望他们糟蹋他辛苦赚的钱，所以总会要求他们要懂得简约过日子。他自己也以身作则，生活非常节俭，有时到了苛刻的地步。

除了亲人，有一个从年轻时就在他家帮佣的女仆叫孟娜，米开朗基罗特别叮咛家人要善待她，当他听到孟娜去世时，非常伤心，他说比一个亲人的死还令他难过。

乌宾诺则是一个忠心耿耿的仆人，跟了米开朗基罗二十六年，米开朗基罗已经把他当儿子看待。有一天米开朗基罗问他："万一我死了以后，你打算怎么办？"

乌宾诺回答："我只有再去服侍别人了。"

米开朗基罗一听，说："我要让你免去这种不幸。"米开朗基罗马上送他两千个银币。由于米开朗基罗大方的馈赠，乌宾诺的经济条件不错，但还是留在米开朗基罗身边，只是没想到乌宾诺比米开朗基罗早死，让米开朗基罗尝到白发人送黑发人的痛苦，他在给朋友的信中写道："乌宾诺的逝世是我极大的损失，也令我悲痛莫名。乌宾诺快乐的长眠带走了我美好的部分，于今我所拥有的只是无尽的悲叹……"

米开朗基罗已经把乌宾诺当成家人了，乌宾诺死后，米开朗基罗还为他照顾到妻子儿女的生活，乌宾诺的妻子甚至希望米开朗基罗收养他们的长子（也叫米开朗基罗），而米开朗基罗也有此意愿，只要他能回佛罗伦萨，就可以收养那孩子，并保证要尽全力栽培他。可惜此时已经八十二岁的米开朗基罗，为了工作一直留在罗马，这个愿望并没有实现。

此外，米开朗基罗也常在家书中交代家人要多济助穷困的人。他对自己的评价是“一个慷慨的人”。

在雕刻、绘画和建筑的领域，创造出许多不朽作品的米开朗基罗，拖着不太健康的身体，在他艺术工作的旅途上“发愤忘食，乐以忘忧，不知老之将至”，走着走着，竟然行走了八十多个年头。

晚年，米开朗基罗受肾结石之苦，连排尿都有困难，这时他仍旧举起榔头，从事他喜爱的雕刻。只是他的力气不再像年轻时，这个阶段的作品，线条的风格转为简约。他以“哀悼基督”的主题为主，最后的雕刻作品是《圣母抱耶稣悲恸像》，以及《隆达迪尼圣母抱耶稣悲恸像》，这两件作品表现出他这个时期的风格。

曾经有人跟米开朗基罗提到“死”的问题，那个人认为米开朗基罗是对艺术这么兢兢业业的人，想到死后就不能再从事艺术创作了，心里一定很难过。没想到米开朗基罗回答说：“‘生’和‘死’都是造化之神的产物，如果‘生’能带给人欢乐，‘死’也必定能如此。”

事实上知道自己年老体衰，死亡是迟早的事，八十二岁的时候，他曾写道:“我想要使我自己昼夜熟悉死亡,致使它不至于比对待别的老人更恶劣的对待我!”也就是说他对死亡已经有心理准备,只是他不愿意消极的等死神来叩门,而是积极的工作着。

诗歌一向是米开朗基罗表达心情的渠道,晚年,他对自己作品的要求很高,如果不是很理想,就会毁掉那作品。他在给瓦萨里的信里,附了一首十四行诗:

如今我的生命已横过风暴之海
像一叶脆弱的小舟
在永恒善恶结清前
航抵一切安顿的巨港

如今我已深深明白
那令我灵魂膜拜
且受役于俗世艺术的痴想
都如镜花水月徒然

当两面死神降临时
正对着我熟稔的容颜
及另一可怖的脸庞
衣衫单薄的多情思虑
又将如何?

至高的神啊!

在十字架上展开双臂拥抱我们

绘画与雕刻,于今已然无法平复

我仰期圣恩的灵魂

一生都从事艺术工作的米开朗基罗,这条路走得很辛苦,上有当权者的威迫,下有理念不合的艺术家互看不顺眼,甚至有因为利害冲突而攻击他的。晚年设计圣彼得大教堂的圆穹顶,遭受更多的中伤,加上身体的衰老,有时难免灰心,此诗就写出他当时的心声,他感到一生在艺术上的作品和荣耀都如镜中花、水中月一般,最后都是一场空!

不过,艺术毕竟是米开朗基罗的最爱,一直到去世前几天,他都还不肯放下榔头和凿子。八十九岁的他,住在潮湿简陋的工作室里,仍旧奏着他“当当锵锵”的打击乐,那是他自小熟悉的乐曲。不管他被迫绘制壁画或是设计建筑时,那乐曲一直响在他内心深处,于是他的绘画、建筑都有雕刻的色彩,构成他一生不停歇的生命之歌。

在他九十岁生日的前几天,病情加重,在友人的陪伴下咽下最后一口气。友人瓦萨里记下他的遗嘱:

灵魂归于上帝,

肉体归于大地,

财物归于家人。

如果以火炬来象征文艺复兴三杰，1564年2月18日，这最后一根火炬也慢慢熄灭了，不过他们所产生的光辉却永远照亮历史的长河。

尾声：永远安息之处

米开朗基罗希望自己死后能长眠在故乡佛罗伦萨，可是他一生当中有很长的时间住在罗马，他最具代表性的作品《创世记》和《最后的审判》也都在罗马，所以罗马人希望能让他长眠于罗马。因此，当米开朗基罗死后，丧礼在罗马盛大地举行，许多人来参加他的丧礼，他被安放在圣亚波斯托利教堂，教皇保罗四世表示要在圣彼得教堂为他修一座墓，还要立一个纪念物，表示永远的崇敬。

米开朗基罗的侄儿李奥纳多在丧礼结束后才匆匆赶到，当时，在罗马的佛罗伦萨人希望米开朗基罗的遗体能运回佛罗伦萨，而这也是米开朗基罗的遗愿。经过一番密谋，他们帮忙李奥纳多把米开朗基罗的遗体包成像货品一样，假装送货，连夜偷偷运送回佛罗伦萨。

佛罗伦萨人又为米开朗基罗举行了一场丧礼，这场丧礼得到柯西莫公爵的赞助，所以整个仪式相当隆重。地点就选在圣洛伦佐教堂，因为这里有米开朗基罗的作品留存着。许多画家、雕刻家、建筑师，还有佛罗伦萨的市民都来参加。由于瞻仰遗体的人太多了，还有许多人到遗体前来进献悼念诗文，因此筹备丧礼的时间也跟着拉长。从3月11日就运回佛罗伦萨的米开朗基罗遗体，直到7月14日才举办丧礼，丧礼的排场很艺术化，许多作品是当代年轻好手的杰作。为米开朗基罗朗诵祭文的人也都是一时之选，他们以庄严、优雅的语调，有声有色地朗诵着米开朗基罗一生的经历。

丧礼结束后，米开朗基罗被安葬在圣克罗齐教堂，长眠在他的先人之旁。

这位集诗人、画家、雕刻家、建筑师等荣衔于一身的巨匠，终于回到自己的故乡永远安息了。

米开朗基罗重要记事

年份	年龄	生平事迹
1475年 3月6日		出生于意大利阿雷诺附近的卡普雷斯，排行五名儿子中的第二，父亲洛多维科·波纳罗蒂，是卡普雷斯的官员。因母亲身体不好，被寄养在奶娘家中，奶娘的丈夫是个采石匠。（此时李奥纳多·达·芬奇二十三岁）
1481年	六岁	米开朗基罗四岁时曾被带回家，但此年母亲去世，再度被寄养在奶娘家中。此时米开朗基罗的家已搬回佛罗伦萨。
1483年	八岁	被接回家，并开始上学。（此年拉斐尔出生）
1488年	十三岁	离开学校，进入吉兰达约画室学画。
1489年	十四岁	离开吉兰达约画室，到洛伦佐·梅迪奇在佛罗伦萨洛伦佐花园开设的圣马可学院学习雕刻，并在柏拉图学院跟随学者、诗人学习。
1491年	十六岁	创作《梯边圣母》、《半人马之战》两件浮雕。
1492年	十七岁	洛伦佐·梅迪奇过世，米开朗基罗离开梅迪奇官邸，回家居住。后因洛伦佐的儿子皮埃罗之邀，再度回梅迪奇官邸住。
1494年	十九岁	法国查理八世进入意大利半岛，梅迪奇家族逃离佛罗伦萨，佛市成为共和政府。米开朗基罗逃至威尼斯，再至波隆那。

1495年	二十岁	回到佛罗伦萨，创作仿古希腊风格的作品《睡着的爱神》。
1496年	二十一岁	受红衣主教里阿利奥之邀，米开朗基罗首度到罗马。雅各布波·迦罗请他雕刻《酒神巴克斯像》，并为另一红衣主教格罗斯拉耶雕《圣殇》。
1499年	二十四岁	雕成《圣殇》，放在梵蒂冈的圣彼得大教堂，声名大噪。
1501年	二十六岁	回到佛罗伦萨，教堂交给米开朗基罗一块大理石，以创作《大卫》。
1504年	二十九岁	完成《大卫》，置于市政厅广场；并准备为韦奇奥宫画壁画《卡西那之役》，要和达·芬奇的《安加利之役》竞争。
1505年	三十岁	《卡西那之役》才完成草图，就被教皇朱里亚斯二世请到罗马雕制陵墓。
1506年	三十一岁	教皇放弃陵墓的建设，并终止一切给付，米开朗基罗于四月逃离罗马，回到佛罗伦萨。后来，教皇以侵入佛罗伦萨为要挟，米开朗基罗只好在10月到波隆那与教皇和解，教皇命他留在波隆那，铸造教皇的青铜像。
1508年	三十三岁	完成《教皇朱里亚斯二世》青铜像。回到罗马，教皇朱里亚斯二世命令米开朗基罗在西斯廷教堂天花板制作壁画。他以《创世记》为题，展开顶篷的绘画工程。
1512年	三十七岁	完成西斯廷教堂顶篷画。回到佛罗伦萨。

1515年	三十八岁	创作《摩西》雕像。教皇朱里亚斯二世崩殂，临终前要他完成陵墓的制作。利奥十世继任，他来自佛罗伦萨梅迪奇家族，命米开朗基罗设计圣洛伦佐教堂正门。同时和朱里亚斯二世的后代签订陵墓的制作。
1519年	四十四岁	受雇于利奥十世，开始设计内有梅迪奇陵墓的新圣器收藏室。（此年达·芬奇逝世，享年六十七岁）
1520年	四十五岁	中止圣洛伦佐教堂正门工作。（此年拉斐尔逝世，享年三十七岁）
1521年	四十六岁	利奥十世崩殂，亚德利安六世继任。
1523年	四十八岁	亚德利安六世崩殂，继任者克里门七世也是梅迪奇亲戚，命米开朗基罗继续圣洛伦佐教堂的工作，并建造一座图书馆。
1527年	五十二岁	共和军驱逐梅迪奇家族，米开朗基罗加入共和军。德皇卡尔五世攻陷罗马，佛罗伦萨受卡尔五世威胁，米开朗基罗受命监督佛市防御工事。
1528年	五十三岁	大弟波那罗托死于瘟疫。
1529年	五十四岁	梅迪奇家族联合西班牙军队攻回，佛罗伦萨战败，米开朗基罗逃至威尼斯。
1530年	五十五岁	回到佛罗伦萨，继续梅迪奇教堂圣器室的工作。
1531年	五十六岁	父亲过世。
1533年	五十八岁	完成圣器室工作。

1534年	五十九岁	米开朗基罗搬到罗马，继续朱里亚斯二世之墓的工作，并签下绘制西斯廷教堂《最后的审判》之约。
1535年	六十岁	开始《最后的审判》壁画。
1541年	六十六岁	《最后的审判》壁画完成；获得监督其他工匠完成朱里亚斯二世之墓的授权。
1545年	七十岁	朱里亚斯二世之陵墓完工。
1547年	七十二岁	教皇保罗三世命米开朗基罗担任圣彼得教堂整修总监督，此建筑早于四十年前便着手建造。
1548年	七十三岁	往后几年，制作《哀悼基督》雕塑群像。
1556年	八十一岁	制作最后的雕刻作品《圣母抱耶稣悲恸像》，以及《隆达迪尼圣母抱耶稣悲恸像》，这两件作品表现他这个时期简约的风格。
1564年 2月18日	八十九岁	死于罗马，葬于故乡佛罗伦萨的圣克罗齐教堂。

后记

亲近大师，激励自我

文艺复兴时期是艺术史上相当辉煌的一页，对艺术史有兴趣的我，选了米开朗基罗来撰写，就是希望自己能好好研读这个时期的资料。

虽然只是写米开朗基罗，但是对于文艺复兴的背景资料都要涉猎，因此在收集资料的时候，包括文艺复兴各个时期的政治、文学、艺术等方面，都放进阅读的范围。读着读着，读出许多兴味，很庆幸有这样一段经历。我开始于美丽的春天，在鸟语花香的氛围里阅读，而后，在南风徐徐吹来的季节着手撰写。

随着天气转热，写作也进入高潮期，家里没有装冷气，偏偏今年的夏天特别酷热。根据以往的经验，这种日子容易昏头昏脑，不适合思考，我的工作效率几近于零。但是阅读相关数据时，发现米开朗

基罗在溽暑中,必须窝在狭窄的“脚手架”上,扭曲自己的身体,为教堂的天花板作画。与他的辛苦相比较,我家书房的热根本不算什么,于是在米开朗基罗精神的感召下,热的感觉被“cool”下来,我仿佛置身于15至16世纪的意大利,坐在西斯廷教堂一个小角落,用文字为米开朗基罗描摹身影——那个因艺术狂热而佝偻的身影!

由于每日都需要长时间书写(与电脑为伍),我都利用清晨的时光,沿着淡水河的河堤走路,除了运动,也让自己的想象空间扩大,想象米开朗基罗走在罗马或佛罗伦萨的巷弄里时,都在想些什么?大卫的英雄形象?圣母玛利亚的哀恸神情?创世记的人物安排,或者最后的审判里地狱的场景?甚或是他必须去面对的那些跋扈的教皇,以及他父亲兄弟们永无止境的问题?米开朗基罗必须在艺术与俗世之间摆荡,孤单地面对许多问题。他最喜欢榔头和凿子,可是他的世界不光是榔头和凿子就可以解决的。

清晨河堤的散步,为我厘清米开朗基罗漫长而坎坷的一生,因此撰写工作得以顺利完成。亲近大师,是如此一件美好的事,愿大家都来亲近大师。